Primera edición, abril de 2022

info@westindies.eu

Traducción: Teresa Galarza Ballester
Ilustración de cubierta: Ramón Casas
Corrección y maquetación: Fut i makak

ISBN: 978-9916-9685-5-0
Impreso en España – Printed in Spain
La traducción de esta obra ha contado con una ayuda del Instituto Ramón Llull

Joan Maragall

Fuera de tiempo

Selección de textos en prosa

Prólogo

Puede parecer difícil reconciliar la figura de un escritor, un nacional español nacido en 1860, que escribe en catalán; pero esto es precisamente lo que hacía Joan Maragall. Nacido en la Cataluña del siglo XIX, fue un gran poeta y prosista del siglo XX: un enlace entre pasado y futuro, tradición y modernismo, España y Cataluña. Creador de una prosa incomparable a la de sus contemporáneos, mantuvo un compromiso con la sociedad de su tiempo tal y como hicieron los intelectuales de principios del siglo XX. Porque Maragall es un autor clásico, pero el primero de la literatura catalana moderna.

Nacido en 1860 en una familia de clase alta dedicada a la industria textil, su padre le hizo trabajar en el negocio familiar en cuanto acabó la escuela secundaria. No fue una buena época para el joven, quien forzó una discusión familiar y obtuvo la autorización para matricularse en la universidad, donde estudió leyes. Al poco tiempo empezó a trabajar como periodista y se casó con la hija de un comerciante inglés, matrimonio del que nacerían trece hijos. Enseguida su dedicación al periodismo prevaleció sobre su efímera carrera de letrado.

Su prosa es fundamental para comprender el inicio del modernismo: el grupo modernista de Barcelona empezaba a definirse y Maragall documenta el cambio de los tiempos y estilos en sus escritos. Fue la misma época en que unos anarquistas lanzaron dos bombas Orsini sobre el patio de butacas de El Liceo, matando a veinte personas. Era 1893, cinco años antes del gran desastre colonial español, y Maragall, que ya era una autoridad entre la burguesía catalana, escribió extensamente sobre la cuestión social y política, artículos que recopilamos en este libro.

En contraste, el alma poeta de Maragall se expresa en artículos sin un ápice de conflicto. Maragall no escribe de modo pasional ni sobre pasiones, sino sobre la tranquilidad y la felicidad del amor, de la naturaleza, del arte y de la ciudad. Murió en 1911, preparado, desde su religiosidad, para comenzar una mejor vida, un renacer. Al menos, cada vez que lo leemos, Maragall vive.

Teresa Galarza Ballester

PARTE I
REFLEXIONES

Entendámonos

I

La conferencia de Jaume Brossa en el Ateneu y el éxito del concierto Pahissa han sido para muchos como un descubrimiento de nuevos horizontes del arte catalán. Buena parte de la juventud, como si le hubieran quitado un peso de encima, ha exclamado: —¡Basta de arte catalanista!— Algunos han ido más allá gritando:—¡Basta de arte popular! —Y todos con la gran ilusión del camino nuevo, han determinado hacer arte europeo... ¡Qué digo europeo!... Mundial.

Son airosos estos súbitos giros impresos por una nueva generación al incorporarse a la marcha social. Está claro que son más bonitas como movimiento que fundamentalmente importantes. Porque todos sabemos lo suficiente que ni todo lo producido hasta ahora por el arte catalán renaciente quedará absolutamente insignificante en Europa y el mundo, ni tampoco hay que hacerse la ilusión de que desde ahora, y solo por virtud de una proclamación, vamos a figurar resueltamente en los grandes escenarios. Todos sabemos que ahora, igual que antes, esto dependerá principalmente de la altura de la gente que nos salga. Que un campesino sin pensar se encuentra europeo una buena mañana, y tales otros que se creen expresamente del mundo no pasan de chicos de su casa.

Sin embargo, no se puede negar que la gira es airosa y que, con entendimiento, la nueva orientación puede resultar bien fecunda. Y por entendimiento quiero decir, ante todo, entender bien las palabras: o al menos probarlo, que es lo que yo ahora querría hacer.

II

¿Qué significa europeo? ¿Qué significa mundial? Aquí va bien esto de Musset:

Toujours le cœur humain pour modile et pour loi!
Le cœur humain de qui? le cœur humain de quoi?
Celui de mon voisin a sa manière d'être;
Mais, morbleu! comme lui, j'ai mon cœur humain, moi.

Si por arte europeo se entiende sentir las cosas propias con un sentimiento tan pregón y expresarlas de una manera tan viva que, catalanas como son, por artísticamente fuertes calaran en Europa y en todo el mundo, diré que sí, que nunca nos sacamos suficientes convenciones de encima y suficientes espectros de enfrente para llegar a una libre comunión europea y mundial. Pero si por europeo se entiende dar la espalda a nuestra naturaleza viva para poder asimilar mejor el sentimiento y la expresión ajena, diré que renunciamos a ser un pueblo para irnos individualmente en dispersión a aumentar, uno la gloria del arte francés, el otro la del arte inglés o alemán —porque el llamado arte europeo no es una unidad, sino una suma,—y la mayor parte en morir oscuros hijos de un pueblo desconocido en cualquier arrabal de París o de Berlín (que por el caso podría ser Barcelona misma, ¡por mayor gloria nuestra!); y entonces sí que el malentendido habría sido terrible para cada uno y para la patria.

III

No creáis que, arrancando de una negación, llegaréis a ninguna afirmación verdadera. Ser europeo por sí solo no significa nada. Fijaos en que este espejismo del arte europeo es una convergencia de arte francés, de arte alemán, del italiano, del ruso... Fijaos en que Ibsen y su gente son muy noruegos, y que, justamente por serlo con tanta fuerza, son tan europeos, tan humanos. Y Wagner, ¿no pensó sobre todo en el teatro nacional, y resultó de tan universal influencia? ¿Y conocéis un espíritu más fundamentalmente ruso que el de Tolstoi, y tan humano que lo sentimos todos dentro del alma? Así que aparte de individualidades tan poderosas, ¿qué movimiento podríais señalarme de producción artística europea que no esté marcado de escuela francesa, ni alemana, ni rusa, ni de ninguna determinada nacionalidad de Europa?

Y en el tiempo, ¿qué ha tenido peso en el mundo sino los grandes momentos nacionales, las grandes escuelas nacionales? ¿No llevan las de gloria e influencia más universales nombres propios? ¿No se llama teatro español el del gran siglo, música alemana la de los tiempos de Beethoven, pintura italiana la que hechiza en todo el mundo, y arquitectura griega aquella pauta remota, pero inmortal, de belleza constructiva?

Y hoy por hoy, ¿cuál es el pueblo que más pesa en el mundo sino aquel de tipo nacional más caracterizado, más irreductible, más él en cualquier parte del mundo y en cualquier circunstancia de la vida? ¿El pueblo inglés, en una palabra? Ellos no han ido a ser mundiales, sino que han hecho que lo suyo fuera lo mundial. Y eso es lo que debe hacerse. Fortaleciendo la nacionalidad se llega a la mundialidad; pero de una vaga mundialidad, abstracta, nunca se ha llegado ni se llegará a hacer ninguna nación.

Entendámonos, entendámonos... Que procuremos hacer penetrar el alma catalana en Europa está muy bien; pero suponer que, para conseguir esto, debamos negar lo catalán, está muy mal. ¿Entonces qué llevaríamos a Europa? Y no pudiendo traer nada, nuestro europeísmo sería que ella se nos llevaría a nosotros; y no por los caminos de los aires, sino por los de Francia o de Inglaterra, o los de cualquier nación bien europea por haber sabido ser nación.

IV

Muchos dicen, inocentemente quizás: —¡Oh! No hace falta preocuparse de ser buenos catalanes; hagamos lo que hagamos, lo seremos siempre.—Yo no lo creo así. Yo dudo mucho de que nosotros hayamos llegado a serlo alguna vez. Es decir, no dudo, sino que estoy seguro de que no lo somos como es debido, y buen trozo que falta.

Pues es hora de intentar saber lo que queremos. Si queremos ser sencillamente una provincia espiritual de Francia, por ejemplo, no vale la pena mover tanto alboroto ni inquietar la modorra de España con nuestras cosas: que no otra cosa sería, en este caso, hablar de nacionalismo, de metrópoli mediterránea, etc. Pero si estas cosas las sentimos en serio, y las tenemos en el corazón en toda su gravedad, entonces no podemos dar por terminado el proceso catalanista, ni mucho menos por empezado; entonces no podemos tratar ligeramente de espectros la historia catalana ni las tradiciones de nuestro espíritu que todavía esperan ser estudiadas; entonces no podemos arrinconar definitivamente a los cabreros ni los porqueros que, en su estamento, aparentemente humilde, nos sirven el tesoro de nuestro casticismo, que nos es tan necesario para llegar a ser alguien en el mundo, que tan poco nos hemos cuidado de descubrir, y que en vano buscaríamos por los faubourgs parisinos.

Yo ya creo que Maria Gay se desengañó de cantar canciones catalanas más allá de la frontera. Pero, ¿pensáis que fue por ser muy catalanas ella y las canciones? Pues no: fue, seguramente, para ser demasiado poco. Fue porque todavía no hemos tenido ningún artista que hundiese lo suficiente en lo popular propio para llegar a encontrar y hacer sentir el alma universal que hay en el bello fondo: como Schumann, como Schubert, como Grieg...

V

Es muy gracioso este desprecio de lo popular en nombre de un civismo que, si no vamos con cuidado, podría resultar bastante cursi en nuestras manos. Hace pensar en el caso de aquel señor que, habiendo encomendado un cuadro a un pintor para el salón que se había hecho decorar nuevo, al ver figurada en la tela una escena rural, rehusó el admitir —porque aquella gente tan desaliñada no procedía— decía él— en el lujo de su salón.

¡Alerta! ¡Cuidado! No es ir con guantes todo el día lo que le hace a uno más señor, y hace falta no confundir Europa con el boulevard. La tal Mireio no es ninguna princesa, y creo que es más fundamentalmente urbana que la Afrodita de Pierre Louys.

En arte es peligroso o pueril decir: ahora debe ir todo hacia aquí o ahora debe ir todo hacia allá: porque la espontaneidad es su suprema ley y la viveza su mayor virtud. Y para hacer arte vivo hay que arraigarlo en la tierra. Que nuestro terruño esté abierto al cielo y al sol y a todos los vientos del mundo, sí; y esto es absolutamente necesario y se debe derribar todo lo que lo estorbe. Queremos nuestro arte penetrado continuamente de todas las influencias que pueda asimilar; pero siempre fuerte en su tierra, en la que nunca hundirá suficientemente las raíces en busca del alma propia, porque esta búsqueda de su alma es el único camino de lo verdadero mundial.

VI

Luego está el otro camino de Europa, mucho más llano: basta coger el tren con billete para cualquier estación de más allá de Port-bou. Y ahora elegid, jóvenes.

De la pureza en la poesía

La pureza es la cualidad suma de las cosas, es la cualidad de las cualidades, porque es la conformidad absoluta de la cosa con su esencia, sin mezcla alguna que la enturbie o desequilibre, que perturbe la profunda armonía de su ser. Y como en esta armonía se encierra la belleza, la bondad y la verdad de las cosas, y con ellas todas sus cualidades menores de utilidad y gusto, por eso podemos decir que la pureza es por excelencia la cualidad de las cualidades.

Un cielo puro, un aire puro, un amor puro: todos hemos sentido alguna vez el profundo encanto de estas palabras que nos han dado el misterioso deleite de la visión esencial de las cosas: un cielo puro, es decir, un cielo cielo, un aire aire, un amor amor, que eran más cielos, más aires y más amores que los que nombramos así, como por aproximación solamente, en el lenguaje muerto de la convención diaria.

Y hasta en los usos más insignificantes de la vida la pureza es la reina de las cosas. Salimos a la libertad de los campos, y al llegar a la rústica alquería, la mujer nos recibe, para restaurar nuestras fuerzas, con el pan que ella misma ha amasado de la harina de su trigo, con la leche que ordeña a nuestra vista de la quieta vaca.

—¡Esto es pan! ¡Esto es leche! —exclamamos instintivamente. Atribuimos a las cosas, solo por ser puras, todo el valor de su esencia. Una de las cosas más sustanciales de la vida es la poesía cuando es pura. ¡Cuán rara es todavía! Los que la hirieron quedaron por ella inmortales en sus nombres, o símplemente en sus obras. ¡Cuántos Homeros y Dantes de un día viven sin nombre en la gloria de la poesía popular, más pura que la de la Iliada y la Divina Comedia! En esta vive el nombre de sus autores por la unidad de la obra, la larga concepción, el gran aliento sostenido; pero en su bloque, inmortal por las venas de oro que lo ligan, no todo es oro puro: muchas veces la preocupación histórica o filosófica, o la del tema que el poeta se ha impuesto, enfrían la emoción y el encanto desciende a esferas de sonoridad enturbiada por voces extrañas a la poesía. En la popular, la colaboración del pueblo es purificadora. El pueblo colabora apropiándose y conservando solo aquello que le enamora, y su instinto, ajeno a toda preocupación de unidad o de sistema, suele enamorarse del oro puro, aunque sea a veces bajo una costra grosera e incluso inmunda. El pueblo no asimila sino aquello que le emociona, y por esto su poesía es pura.

Esta ha de ser la escuela del poeta: la poesía popular; extraña escuela en la que el aprender consiste en olvidar; olvidar modelos, olvidar teorías, olvidar corrientes sociales, filosóficas, artísticas, todo, para poder escuchar con emoción de· niño la voz interna que canta sola el misterio de la vida. Hacerse sencillo, hacerse humilde, hacerse ignorante: esto reclama la poesía para ser pura.

Nadie que quiera entendernos se figurará un solo instante que la estupidez, la ignorancia y el egoísmo sean para nosotros las cualidades madres de la poesía, sino que entenderá que nada es poesía sino en estado de emoción desinteresada de toda enseñanza, y, por tanto, directamente penetrable, sin discusión ni resistencia, en todo ánimo. Cuanta mayor comprensión, más cultura y más amor haya en un poeta, más noble será su emoción y más trascendental su olvido; pero en el momento poético, olvido ha de haber de todo lo que no sea su emoción:

> «La gloria de Colui che tutto muove
> Per l'universo penetra e risplende
> In una parte piu, e meno altrove».

Si Dante no hubiera sido un teólogo y un sabio, su emoción no habría hablado de esta manera; pero al hablar así, el teólogo y el sabio era simplemente un nifio poeta, y por esto en los tres versos la omnipresencia de Dios inunda el corazón de todo hombre, como no lo haría un capítulo de teología ni aun otros versos del mismo Dante menos olvidado de su saber.

Hemos de penetrarnos bien de esto los que amamos la poesía: porque toda la de nuestros tiempos está impurificada por tendencias, por fines extrapoéticos, por tesis tanto más perturbadoras cuanto más simpáticas en sí mismas. Se ha utilizado la poesía para la caridad, para la libertad, para el ennoblecimiento del trabajo, para la virtud, para la ciencia, para todo lo que es parte de la vida, parte apreciable, santa muchas veces, pero que ha matado la emoción del poeta, que ha de ser total al particularizarla. Y si alguna vez se ha querido reaccionar contra esto, se ha formado escuela del arte por el arte, han aparecido los parnasianos que, encastillados en sus torres de marfil, despreocupados del mundo palpitante, han cantado con una pureza hija de la frialdad.

No es esta, no, la pureza de la poesía. La pureza de la poesía es una pureza amante. Sin amor, no hay vida, y sin vida la poesía no es más que un nombre. ¿Qué me importa a mí, ni qué importa a nadie, un precioso soneto de José Maria de Heredia, por ejemplo, sobre un escarabajo de oro o las pupilas de Cleopatra? Su artificio es sumo, pero su belleza fría como la de un brazalete que brilla en el estuche.

¡Oh! ¡La pureza con amor, la pureza viva! ¡Oh! El símbolo de la Virgen Madre, ¡lo que hay más puro, con lo que hay más amoroso! Esta ha de ser nuestra poesía, porque esta y no otra es la poesía. Todos nuestros enternecimientos, y todos nuestros ideales, y todos nuestros fines deben desaparecer fundidos en la emoción poética. Hemos de ser alquimistas para convertir todo ello en oro puro de poesía. Todo esto estará allí, pero solo en la poesía resplandecerá.

Y esto para el poeta no es difícil, es lo natural. Pero este natural ha de rehacérselo por eliminación de tanto como tiene sobrepuesto. Desdeñe ante todo su vanidad de poeta, olvide modelos, olvide propósitos, ponga en la vida práctica todo el amor que Dios le haya dado y el que él pueda acrescer, y no haga profesión de cantar... no cante sino impensadamente, y su canto será puro, y en él estará todo su amor.

Poesía de otro tiempo

Ante las «Obres poétiques» de Jordi de Sant Jordi que Massó y Torrents, con ese amor activo y luminoso que tiene a la expresión histórica del espíritu catalán, ha recogido en la dispersión de los manuscritos, estudios e impresiones sueltas, y ha publicado reunidas por primera vez en un volumen, hemos sentido con renovada intensidad el singular encanto de la poesía de otros tiempos.

Hay siempre en la poesía un elemento inmutable: la inspiración del alma del mundo que habla en la voz del poeta, y hay otro elemento variable: el estado de espíritu y de lenguaje de la época en que el poeta vive, la corriente literaria en que la poesía se produce, y, además, la manera personal del que la hace.

Esta última se va borrando a los ojos de la generalidad de los lectores a medida que la distancia aumenta: y esto sucede en toda clase de obras literarias y artísticas. Por ejemplo, todos tenemos una idea de la estatua griega; pocos son los que pueden apreciar la distinción entre una escultura de Fidias y otra de Praxíteles, entre el cuadro de un gran pintor del Renacimiento y el cuadro de un regular discípulo de su escuela; entre un soneto del Dante y otro de Petrarca, y aun en el arte más moderno conocido, ¿cuántos oyentes se encuentran capaces de determinar por sí mismos si la pieza musical que escuchan es de Haendel, Gluck, Hayden o Mozart? Porque también las épocas se van acercando y confundiendo con la distancia, como las montañas en la lejana perspectiva de la llanura. ¿Quién adivina sus desigualdades de terreno, los múltiples picos que las erizan, y los profundos valles, ante la lisa silueta uniformemente azulada que recorta el horizonte?

Y así es todo: solo las grandes líneas quedan a lo largo del tiempo y del espacio: y así los grandes genios personifican una época tanto más extensa cuanto más lejana y cuanta mayor fue la altura de ellos. Para los que no somos sabios en literatura, Homero reina solitario en siglos y siglos de la Grecia remota: no conocemos otro poeta salvo él, pero aunque hubiera mil junto a él y nos mostraran sus obras, todas, incluso las muy medianas, nos parecerían de Homero.

Ahora tenemos el punto de vista inverso: el de la proximidad de lugar y tiempo. Si hoy encontramos sin firma una poesía de Verdaguer y otra de Guimerá, es seguro que, por poco aficionados que hayamos sido al bello arte, distinguiremos enseguida la personalidad respectiva de sus autores y pondremos sin vacilar al pie de cada una de las obras la firma correspondiente y acertada. Pero —¡oh limitación de nuestro sentido!—si las poesías fueran, por ejemplo, de Mariano Aguiló y de Manuel Milá, muertos ayer, nuestro juicio ya no sería tan seguro, porque todo lo de hace cincuenta años empieza ya a uniformarse como la montaña al pie mismo de ella, y es seguro que, de aquí a mil años, de nuestra obra literaria de estos siglos quedarán uno o dos nombres como firma genial de toda ella.

Ahora toda poesía catalana de los siglos XIV y XV nos parece de Ausiàs March, porque él fue quien a la poesía de toda aquella época dio forma más intensa y definitiva: es la azulada silueta de la montaña lejana:

Dóna, si us am
no'n grahixcau
Amor aquella part
de que jo só forcat,
grahiuho a Déu qui
us ha tal cos format
que altre cos no
bast a sa valor;

bell, amb gran gest,
portant un esperit
tant amplament
que no'l té
presoner,
mes con senyor
usant de son poder
tenint estret
plaentment
l'apetit.

Y oigamos ahora a Jordi de Sant Jordi:

Jus lo front port
vostra bella semblança
De que mon cors nit é
jorn fa gran festa,
Que remirant vostra
bella figura
De vostra fac m'es
remasa la emprenta
Que ja per mort no se'n
partrá la forma;
Ans quan seray del tot
fóra d'est segle
Cels qui lo cors
portarán al sepulcre
sobre ma fac veurán lo
vostre signe.

¿No es verdad que parece ser el mismo amador el que continúa hablando? Cierto que la primera estrofa no sé qué tiene de más fuerte.

Pues bien, este «no sé qué» es lo inmutable de la poesía: el alma del mundo hablando en la voz inspirada del poeta y todos los grandes poetas hermanos en ella. Por encima de la mayor dilatación del tiempo, por encima de toda la extensión de las tierras, hay voces que, en mil lenguas, estilos y maneras, producen un mismo estremecimiento interior al que las oye: es la vibración de la misteriosa realidad del mundo despertada por el verbo inspirado: es la poesía.

Homero, Esquilo, Dante, Shakespeare, Goethe, ¡tan diferentes y tan iguales! Son las cúspides de la cordillera que se van igualando con la distancia. Siempre lo mismo: las tierras ondulando anhelantes hacia la altura para acabar en una punta que se lanza al cielo.
Pero no desdeñemos el divino anhelo de la ondulación que empieza en la pequeña loma de la llanura. No desdeñemos las maneras de época, las pequeñas individualidades, las superficialidades de escuela, las modas artísticas, ni despreciemos las manías de capilla literaria, porque ni una sola de ellas hay, por ridícula o incomprensible que parezca, que no haya hecho brotar una chispa de fuego vivo.

No desdeñemos nada que represente un anhelo sincero a la altura. En el liso azul de las cordilleras lejanas, ¡cuántas vacilaciones de la tierra no se contienen! ¡Cuántas empinadas subidas que luego desmayan, cuántos rellanos indolentes, cuántas cimas que se pierden, cuántos valles que se esconden riendo, y también cuántos abismos que, al querer negar desesperadamente la altura, la afirman y la exaltan! Y en el fondo de los abismos, ¡cuántas fuentes que hablan de las nieves más altas!

¿Sabéis de alguna montaña cuya superficie absolutamente lisa suba en línea uniforme, en ángulo constante de la base a la cumbre? No: su ley es la oscilación, y solo de lejos os parecerá firme y constante su camino de altura.

Solo de lejos el humano anhelo de la belleza suma podrá pareceros una majestuosa elevación coronada de cimas excelsas. Sabed que en su majestad serena se contienen muchos devaneos, muchas inquietudes y tormentos, y que alrededor de las cimas que brillan al sol más altas, hay los mayores y más obscuros abismos.

Yo no sé si todo eso viene muy al caso de la publicación de Jordi de Sant Jordi. Solo he querido decir que, viendo lo que cae y lo que permanece de la poesía lejana, podemos aprender a mejor sentir la viva voz eterna entre los variados ecos de nuestra montaña.

Poesía viva

Hay poesía viva, natural, y hay poesía artificial. Claro está que la última, rigurosamente, no es poesía, aunque precisamente pasa por serlo más que la otra, igual que una flor de papel pintado, que no es flor, puede parecer más hermosa que la nacida de la tierra. Y este es el error que hay que eliminar: queremos decir que hay que educar el sentido en la realidad.

Poesía viva es la expresión balbuciente, de puro emocionada, de la realidad que palpita en el fondo de nuestra inconsciencia. Poesía artificial es la frase rítmicamente construida sobre un sentimiento que ya ha pasado por la inteligencia. Somos poetas de verdad cuando forzados por el ritmo de una delicia misteriosa que nos produce súbita e inesperadamente una realidad, la cantamos sin saber lo que nos decimos. Parecemos poetas, y hasta a veces grandes poetas, cuando embriagados por pensamientos sentimentales acertamos a fundirlos métricamente al calor superficial de una elocuencia escogida:

Eterna ley del
mundo aquesta sea:
En pueblos o
cobardes o
estragados
Que ruede a su
placer la tiranía;
Más si su atroz
porfía.
Osa insultar a
pechos generosos
Donde esfuerzo y
virtud tienen
asiento,
Estréllese al
instante
Y de su ruina brote el
escarmiento.

¡Qué hermoso es esto! ¿Verdad? Sí, es un hermoso discurso en verso, pero no es poesía.

¡Pero a vel, señol
jues: cuidiaito si
alguno de esos
es osao de tocali a
esa cama ondi ella
s'ha muerto:
la camita ondi yo la
he querío cuando
dambos estábamos
güenos, la camita

ondi yo la he
cuidiao,
la camita ondi
estuvo su cuerpo
cuatro mesis vivo
y una noche
muerto!

—¿Que jerigonza es esta que hace llorar? —Es poesía. —Pero, ¿en qué lengua está hecha? —En lengua de sentimiento: en dialecto extremeño... ¡Dialecto y gracias! —que diría aquel señor diputado cuyo nombre sentimos mucho no recordar en este momento.

En cambio, el nombre del poeta extremeño Galán no es fácil que se nos olvide nunca más. Antes olvidaríamos el de Quintana, con todo y haber hecho aquella magnífica estrofa que primero hemos citado y que está en hermosa lengua castellana, de la legítima, de la académica: en una palabra, de la oficial.

Yo creo que cuando una lengua llega a ser oficial, ya no sirve para la poesía. Esto es un decir; pero la verdad es que la oficialidad de una lengua supone un manoseo, una mustiez de sus palabras y giros que hacen imposible la expresión de las cosas vivas, ingenuas, que nos andan por dentro.

Protestamos de nuestro respeto a todas las lenguas oficiales en general y a la de España en particular: comprendemos su necesidad en el estado actual de la civilización y de la manera de regirse los Estados, y asentimos profundamente a su dominio en los expedientes, en los discursos parlamentarios, en la buena sociedad, y en la prensa de gran circulación.

Pero la poesía ha de expresarse en dialecto... y gracias.

Un poeta, amigo mío, dice que cada hombre debe tener su dialecto. Sí, porque cada hombre tiene su sentir individual y debe expresarlo a su manera y, al decirlo a los demás, para hacerse entender por ellos, y ellos entenderle, han de abandonarse, aquel, a la inspiración del momento, y estos, a la adivinación intuitiva; de modo que la palabra quede en una vaguedad donde cada cual pueda percibir lo que su espíritu anhela en aquel momento.

Todo esto parece muy paradójico, pero en poesía, al menos, no hay otra lógica que esta.

¿Quizá cuando nombramos a Dios y las cosas de realidad más honda las tenemos tan calibradas y medidas que sabemos perfectamente lo que nos decimos? No, no hay sino un vago presentimiento de la realidad fundamental que nos hace vibrar, que nos hace balbucear para comunicar nuestra vibración a los demás, de modo que en ellos despierta un presentimiento, no exactamente igual al nuestro, sino armónico con él, como brotado de lo que en el fondo de todos los hombres hay de común y de lo que en cada uno hay de individual. Así actúa la poesía, y por esto en la libre ingenuidad de los dialectos encuentra su expresión propia.

Por esto, sin duda, las «extremeñas» de Galán nos han impresionado como ninguna poesía en lenguaje académico nos impresionara. El castellano académico lo entendemos todos demasiado, y por eso, para nosotros ya no puede ser un lenguaje emotivo, ya no puede ser poético.

El alma del pueblo es esencialmente dialectal, y solo ella es manantial de poesía.

El inglés de Dickens es estrambótico; el del poeta Burns es un dialecto escocés; el modernísimo de Rudyard Kipling es una mezcla de slang londinense y dialectos coloniales: y los tres autores son los que, modernamente, mejor han mostrado el espíritu inglés.

Pues bien, el espíritu español vivo solo se muestra hoy también en los lenguajes populares: en el murciano de Vicente Medina y en el extremeño de Galán.

Aquellos son campesinos, ¡aquellos son hombres que sienten algo y dicen algo:

¡Qué noche tan rica!
¡Qué luna tan guapa!
No hay na que me sepa
como estalmi tumbao a la larga
mirando p'al cielo
y escuchando cantar la caraba,
los capachos, los bujos, los grillos
y también las ranas,
cuando cantan asín algo lejos,

que ampié de las charcas
me ponin möorro
con aquel sonsoneti que arman.

Todas las «extremeñas» huelen así a tierra, huelen a alma campesina, son directas, son vibrantes, son la obra de un poeta: de un poeta de verdad que va a buscar la poesía en lo humano inconsciente, en lo ingenuo, en el pueblo y en la expresión inspirada del pueblo.

¡Bienvenido sea el poeta nuevo!

Y bien vengan ahora detrás de él poetas andaluces, y poetas asturianos y aragoneses y manchegos y de todas partes de España; y las mil lenguas diversas, espontáneas, francas, ricamente significativas en sus matices, serán la lengua española, la única que hay viva. Lo demás es un acartonado volapuk hispanoamericano para el comercio, la Gaceta y la prensa de gran circulación: tinta fina para escribir, que decía un malogrado amigo mío.

Escritor

Muchos somos, incontables, los que nos dejamos llamar así: escritor, e incluso nos complacemos en ello, y hasta para tantos es esta una suprema ambición y, conseguida, un título de gloria: esto es, vanidad.

Porque no nos fijamos bien en lo que tal denominación significa. Escritor quiere decir uno que escribe por profesión: es hacer profesión del escribir; y como escribir no otra cosa es que hablar por signos gráficos, resulta que, profesión de escribir es profesión de hablar: ¡escritor, hablador! Avergoncémonos.

¿Cómo podemos tolerar, cómo complacernos en tal sacrilegio? Hablar es cosa sagrada; hay en ello todo el divino misterio de la humanidad: es expresarse, dar el alma a nuestros hermanos, cuando el alma necesita darse y es esperada. ¡Y de esto hacemos una profesión! ¡Y comemos de ella! ¡Comemos de ella con orgullo! ¡Farsantes! ¡Sacrílegos!

Ese don de la palabra nos ha sido dado para satisfacer nuestra naturaleza social y para enaltecerla. El hombre puro habla cuando necesita hablar para su relación social, o bien cuando un fuerte impulso interior le dicta palabras que siente bienhechoras, casi diré necesarias, para sus hermanos. Lo que nunca hará el hombre puro, será ponerse a hablar sin necesidad y sin impulso. Si ha de ganarse un pedazo de pan para sustentar su cuerpo y su familia, buscará un trabajo útil y de él vivirá como pueda, y si no es apto para trabajos útiles, buscará el favor, mendigará. Lo que nunca se le ocurrirá al hombre puro, así haya de morir de hambre, será llamar a las gentes a corro y, poniéndose en medio y en alto, estimularse a dar la vaciedad de su alma en humo de palabras, y una vez hinchada el alma de sus hermanos de aquella vaciedad, pasar el plato. ¡Maldito arte que sabe dar la vaciedad por sustancia!

Arte peor que el de los charlatanes en las ferias: porque el charlatán se vale de su palabrería para hacerse pagar un específico, pero no incurre en la monstruosidad de hacerse pagar las palabras. ¡Y es lo que hace el escritor: hacerse pagar las palabras!

No hay por qué condenar al hombre de ciencia, que se vale de la palabra (hablada o escrita) para comunicar el resultado de sus investigaciones; ni al abogado, que la usa noblemente para exponer en justicia los hechos; ni al gacetillero, que informa al público de lo que pasa, ni a tantos otros para quienes la palabra forma parte de un trabajo útil. Veneremos a aquellos otros que, teniendo el don de ver en el fondo de la vida y de expresar su visión, hablan palpitantes aún de ella a sus hermanos, en bien de todos, desinteresadamente. Lo intolerable, el gran sacrilegio, es imponerse, por dinero o por vanidad, la tarea de hablar a plazo fijo a los hombres, téngase o no se tenga algo que decir, apelando a los recursos de una malhadada inventiva y de una peor habilidad en alinear palabras huecas, aguzada en el vicio mismo de inventarlas. Lo sacrílego, lo calamitoso para el propio espíritu y el ajeno, es ser escritor; no el ser filósofo, o político, o poeta, o gacetillero, o apóstol, sino el ser simplemente esa monstruosidad: escritor, esto es, hablador de oficio.

Podrá decírseme que el escritor es, generalmente, algo de lo que acabo de mencionar; pero yo preguntaré: ¿puede ningún científico contar con algo substancioso que decir de su ciencia cada mes? ¿Se comprometerá el poeta a palpitar con la realidad una vez cada semana? ¿Tiene realmente el político un impulso sincero cada día? No, para ninguno de ellos es el caso. Ninguno de ellos puede, pues, en conciencia, ligar su actividad sincera ni fundar el régimen de su vida en hablar de sus aficiones a plazo fijo. Y el escritor, propiamente dicho, es aquel que se compromete a escribir. No a decir algo de substancia (que esto no está en su mano), sino simplemente a escribir. —Yo para vivir (o para hacer honor a mi firma: esto es, a mi vanidad) necesito escribir una novela, un drama cada año. —Yo vivo de mi carrera, pero me ayudo con mi colaboración mensual a tal Revista. — Mis cinco duros diarios son mi artículo semanal en siete periódicos.

Este es el escritor, y su sentido moral, atrofiado por el vicio público de hablar, le permite decir eso con cierta dignidad, con orgullo. —¡Soy un obrero de la inteligencia—exclamará con hipócrita humildad, porque, en su fondo, se cree inmensamente superior a todos los obreros! Y, sin embargo, ¡cuánta mayor dignidad no hay en el que machaca piedra o guía un carro! Porque este usa de la fuerza o de la maña que le han sido dadas según la propia naturaleza de ellas, mientras el escritor vive de la palabra, no según el fin de ella, que es la necesidad social o el impulso espontáneo del espíritu, sino contrariando su fin: esto es, fabricándola aún vacía de sentido, llenándola con vaciedad.

—Ve a machacar piedra, amigo escritor, si habilidad no tienes para otro trabajo en que ganes tu vida; y si ni aun aquella habilidad tienes, mendiga: que más noble es vivir mendigando, que vivir engañando. Si eres filósofo, poeta o apóstol... mendiga, y cuando la plenitud de tu espíritu desborde en palabras llenas de sentido, solo entonces habla: que más vida habrá, en tal ocasión, en una palabra, tuya, que en todas las limosnas que hayas recibido; mientras que el dinero que ahora cobras por esas vaciedades sonoras que hilvanas, sudando quizás sangre y agua, es dinero robado a la pública inconsciencia que con ellas acrecientas, sumiéndote a ti mismo y a tus hermanos en espíritu de tinieblas.

Así hablaría yo al escritor. Y si el escritor me oyera, ¡Qué aligerada no quedaría nuestra literatura y todas las literaturas! ¡Qué serenado el espíritu humano! ¡Qué repentino avance en el camino de luz por donde la humanidad es divinamente atraída!

Quedarían aún, ciertamente, aquellos que, engañados por su propia vanidad, creen sinceramente tener siempre algo que decir, y se dan gratis, y aun ponen dinero encima. Pero a estos el público les hace más pronto justicia: pocos les leen, y sonriendo, y esa sonrisa es redentora de mucha vaciedad. Los temibles son los que tienen suficiente talento para vivir de él, para morir de él su alma y la ajena. Estos son los terribles profesionales de la palabra.

Y para acabar de librarme de ellos, voy a ver si hundo el falso ídolo, a Poenia, a la Necessidad, Musa famosa. Es dicho corriente y admitido que la necesidad estimula el ingenio, que muchas grandes obras del espíritu humano no hubieran existido de no haber intervenido ella en su creación, y que, desde luego, muchísimos hombres de talento no darían ni la mitad de lo que dan de su inteligencia si no les fuera menester escribir para satisfacer su necesidad o su lujo. A todo eso contesto: que los grandes genios de la humanidad hablan, en cuanto son tales, por divina inspiración, independientemente de causa exterior que les obligue, y que la pureza y la alteza de sus creaciones está en relación directa con la independencia en que han sido producidas. Aunque se me probara que Cervantes compuso el Quijote, y Shakespeare sus dramas en la esperanza de sacar un provecho material de ellos, no me rendiría; porque nadie es capaz de probarme que, sin aquella esperanza de lucro, no hubiera hecho Cervantes su Quijote más perfecto, más intenso, menos cargado de digresiones y episodios que lo deforman, ni que Shakespeare, aun escribiendo solo la décima parte de lo que escribió, no nos hubiera dado, en esta décima parte, toda su portentosa intuición de las pasiones humanas. Sin la musa Economía se escribiera mucho menos, ¿quién lo duda? Pero esto, ¿sería un bien o un mal? Yo no creo que el espíritu humano dejara de decir nada de lo que ha de decir, con la ventaja de librarse de tanto sofisma o impureza como el que le tiene continuamente luchando en confusión.

En la obra del escritor que vive de serlo, hay siempre como un sello de esclavitud: sirve al público, sirve a una empresa, y esta servidumbre proyecta en su obra una sombra, que muchos no ven porque, por culpa de la frecuencia de ella, están olvidados de la luz pura del espíritu, y sufren de su ausencia sin saberlo.

Sin la necesidad de vivir de ello, los hombres de talento escribirían menos; pero, ¿y esto qué? No todos los días habría artículo de fondo en cada periódico; no todas las Revistas saldrían puntualmente el primer día de cada mes; no funcionarían tantos teatros, ni se daría en ellos un estreno cada semana; Zola no hubiera escrito tantas novelas, y los estantes de las bibliotecas gemirían más dulcemente. Pero, ¡qué artículo de fondo el que saliera cada mes! ¡Qué Revista la que apareciera cuando hubiese de qué! ¡Qué teatros los que no fueran un bajo comercio con el público! ¡Qué cuatro novelas habría hecho Zola, y qué rectos y luminosos los estantes de las bibliotecas!

¡Oh, hagamos la prueba, mudemos de oficio! Tal de nosotros puede resultar un excelente agricultor, tal un afortunado comerciante, tal un honrado obrero y tal un intrépido marino. Y el que se sienta tan... contemplativo que no pueda resolverse a trabajar, cuide de su hacienda, si la tiene, o acomódese con la ajena. Y cuando en el descanso de la labor del campo, o en la lícita huelga del comercio o industria, o en los largos ocios del mar, o en el éxtasis de un parasitismo satisfecho, el espíritu nos hable libremente forzándonos a rebosar en palabras inspiradas, dejémoslas entonces brotar palpitantes aún de la plenitud del espíritu, serenas, sin la enturbiadora preocupación de lo que puedan valernos. Y si tan mal le va al mundo con la falta de nuestra asalariada algarabía; si tan mal se encuentra con la rara palabra resonando llena de sentido en medio del fecundo silencio, el mundo nos lo dirá; y siempre estaremos demasiado a tiempo para volvernos al caos.

Fermentum

Parece que el amor fermente con el odio, tornándose más activo; que el odio se convierta en el principio activo del amor. ¿Qué diferencia hay entre el dulce jugo de la vid y el vino? El vino no es sino zumo de uva fermentado. E incluso el pan no tiene sabor sin levadura.

¿Qué quiero decir con esto? El amor a la patria es dulce y plácido, tanto, que muchos no lo sienten si no viene activado por un odio. Miren el anhelo de los pobres que no se activa si no es por el odio a los ricos, y solo por eso su deseo se exalta y se vuelve conquistador. ¿Y cómo si no es amoroso el hombre celoso? Parece una maldición, pero yo creo que no es más que un misterio, que no es menos que un gran misterio. Parece lo de San Juan: «La luz en las tinieblas resplandece».

Escuchad a Mefistófeles: «Yo soy una parte de esa fuerza, que queriendo siempre el mal, produce siempre el bien... Yo soy parte de la tiniebla de la que brota la luz». Parece que la luz esté condicionada por la tiniebla, que el amor esté condicionado por el odio. Que sin tiniebla, humanamente pensando, no pudiera haber anhelo luminoso, que sin odio no pudiera haber amor vivo.

Con frecuencia he visto a hombres de carácter sosegado exaltarse por el odio hasta el ridículo, hasta lo repugnante; en ese momento me han hecho sonreír para mis adentros con cierta pena. Pero, después, bien pensado, he comprendido que, para esos hombres, aquello era una profesión de fe. Primero, su pasión instigadora me pareció muestra de mezquindad de espíritu; después, pensé: «Si a este hombre le quitamos esta mezquindad, ¿qué grandeza le restaría? Esta mezquindad es su grandeza. En este hombre, el sentimiento de patria, por ejemplo, duerme en su mediocridad sentimental, y no puede hacerle ser generoso. Mas tiene odio a los enemigos de la patria, y este odio es suficiente pera hacer de él un héroe o un mártir en cualquier momento. Este hombre solo puede ser un buen hombre siendo un mal hombre.

Ese hombre podrá decir: «Yo soy una parte de aquella fuerza, que queriendo siempre el mal, hace siempre el bien... Yo soy una parte de la tiniebla que engendra la luz». Y, luego, lo de San Juan: «La luz en las tinieblas resplandece».

Pero con la mano en el corazón, mi corazón no absolvería a ese hombre. Con la mano sobre el corazón, mi corazón no excusa el mal, el pecado, lo feo, lo falso y el odio por ser fermentos activadores del bien, de lo bello, de lo verdadero, del amor.

Porque el corazón no se deja engañar por teorías y tiene un profundo instinto de la luz, superior a todo saber humano. Cierto que yo me sentía tan hombre como aquel hombre, luz en la tiniebla como él, y mi actividad, como la de él, sujeta a la oscura ley de la fermentación; pero el anhelo, el gran anhelo, es librarse de las leyes oscuras e ir siempre a la luz: el amor sin odio, la verdad sin discusión, lo bello sin contraste. Nutrirse de la dulce pureza del zumo de uva antes de que fermente, y encontrar muy sabroso el pan sin levadura.

También comprendía que mi sentimiento de la fuerza activa de los fermentos no había sido en vano: que él me enseñaba a no maldecir el mal sino a considerarlo como tiniebla que quiere ser luz, pero que todavía no lo es. Y esta consideración me llenaba de una fuerte piedad y de una gran esperanza. No obstante, esta piedad y esta esperanza no puedo determinarlas en consecuencias prácticas sino, bien lleno de su espíritu, avanzar serenamente en la vida fiándome de lo que en cada momento me sea inspirado por tal espíritu en mi avance, sin dejarme atormentar por las dudas de los soberbios que todo lo quieren explicar y contar en piezas pequeñas.

¡Jesús resolvía las dudas tan sencillamente! Quisieron atormentarlo diciéndole que, según la ley de Moisés, si uno moría, el hermano debía tomar a la viuda por mujer, y si el segundo moría, el tercer hermano que hubiera debía tomarla igualmente, y así debía ocurrir hasta el último de los hermanos. Y entonces le hacían la pregunta maliciosa: — ¿A la hora de la resurrección de la carne, de qué hermano será la mujer? Mas Jesús les dijo: —¿No veis que estáis equivocados porque no entendéis las Escrituras ni la virtud de Dios? Cuando resuciten de entre los muertos, ni se casarán ni se darán en casamiento, sino que serán como los ángeles del cielo.

Me parece que con esta sublime sencillez se resuelven, en el fondo trascendental de nuestro ser, las más grandes contradicciones.

La beligerancia

Hemos leído con mucho interés la Memoria que el señor marqués de Olivart ha escrito por encargo del ministerio de Estado sobre el reconocimiento de beligerancia y sus efectos inmediatos. Dada la especial competencia del autor en estos asuntos, la vaga idea que generalmente se tiene de dicha materia, y la actualidad de la misma con ocasión de la guerra de Cuba, creemos que también podrá interesar a nuestros lectores que les digamos algo de la mencionada Memoria. Les hablaremos principalmente de su capítulo tercero, porque los dos primeros, que contienen la parte histórica y la parte puramente científica y de controversia en las que el marqués de Olivart muestra su grandísima erudición, quedan fuera de los conocimientos generales y del palpitante interés del gran público, además de que lo esencial de esos dos capítulos se halla virtualmente contenido en el desarrollo del que los sigue, que se titula «La teoría del reconocimiento de la beligerancia».

El derecho internacional —viene a decir el distinguido tratadista— es un derecho dominado en la práctica por los hechos. De manera que, a los ojos de las naciones, toda sociedad política que posee territorio, autoridad e independencia es un Estado, sea cual sea su constitución y origen, e independientemente del modo en como se haya formado.

La personalidad de un Estado solo encuentra su total eficacia y completa garantía en la guerra: en la práctica, por la guerra y casi solo por la guerra nacen, viven y mueren los Estados; de modo que puede muy bien decirse que el Estado es la guerra, y que la paz, en su verdadero sentido, no es sino un armisticio más o menos largo, esto es, un hecho negativo. Y así como la guerra es la suprema sanción de la personalidad y de los derechos internacionales de un Estado, si no hay dos Estados que combatan no puede decirse que exista verdadera guerra: la guerra según derecho solo cabe de Estado a Estado.

Pero puede suceder que, dentro de la sociedad política que se llama Estado, se forme una nueva sociedad con voluntad política distinta de la imperante, y que procure prevalecer contra esta apelando a la fuerza. Entonces se promueve una guerra civil de facto que, en rigor, no es la guerra según derecho, porque no es de Estado a Estado. Pero como solo en la guerra, según derecho, es donde se aplican aquellos principios relativamente humanitarios y aquellos preceptos y procedimientos que, para el menor mal posible de todos, la costumbre de las naciones ha establecido, de ahí que un superior interés de humanidad tienda a convertir las mismas guerras civiles en guerras según derecho; y para ello, por una ficción, se da consideración de Estado (solo para los efectos de la guerra) a la colectividad rebelde; y entonces se tiene ya una guerra de Estado a Estado, con todas las observancias y relativas ventajas de la guerra según derecho. Esa ficción es lo que se llama reconocimiento de la beligerancia.

Sin embargo, como ya se comprende, ni el humanitarismo ni el interés general llegan a tanto como para aplicar ligeramente dicha ficción a cualquier grupo de bandidos o masas de rebeldes sin arraigo, sino que para aplicarles la ficción de Estado se les exige, cuando menos, una apariencia como tal: es decir, el que dominen un cierto territorio; el que tengan organización bajo determinada autoridad; el que sean movidos por un ideal, un fin político en armonía con el derecho humano general; el que haya verdaderamente lucha de ejército a ejército sin violación de las leyes de la guerra; y el que la insurrección tenga alguna probabilidad de éxito.

Cuando la insurrección reúne, no ya todas, sino a veces solo algunas de estas formalidades, el mismo Estado contra quien se ha promovido es el primero en reconocer implícitamente la beligerancia a los rebeldes; explicitamente no, porque es demasiado dura para el amor propio oficial una concreta declaración de esta naturaleza; pero implícitamente, ¿qué duda cabe de que aplica los usos de la guerra según derecho, de la guerra de Estado a Estado, a la insurrección, de modo que esta cobra importancia? Ni juzga a los rebeldes con los artículos del Código penal, ni se niega a los honores de la capitulación, ni rehusa los beneficios del canje. El más rudo sargento —dice el señor marqués de Olivart— respetará en los heridos la Convención de Ginebra, y no entregará al juez, para que lo meta en la cárcel, al prisionero que haga.

Pero, a veces, este implícito reconocimiento, de orden simplemente interior, no le basta al Estado. Si quiere evitar que los súbditos de otras naciones ayuden a los insurrectos; si para incomunicarlos quiere bloquear los puertos que estos tal vez posean; si quiere visitar y fiscalizar los buques que navegan por aguas inmediatas al teatro de la guerra; entonces no tiene otro remedio que confesar la importancia del peligro, declarar a las otras naciones su verdadera situación, y reconocer con ello más explícitamente la beligerancia de los insurrectos.

Solo así podrá hacer uso de esos derechos con respecto a aquellas naciones. Y entonces, pero también solo entonces, podrán estas, a su vez, otorgar fundadamente a los rebeldes el reconocimiento de su beligerancia. Otorgárselo antes sería por parte de ellas, fuera el que fuera el pretexto que invocaran, u oficiosidad inadmisible dentro del derecho internacional, o lisa y llana confesión de su simpatía por la insurrección. Otorgárselo cuando el Estado atacado por ella necesita y reclama el ejercicio de dichos derechos, no es sino cosa muy correcta y natural. Y ¿cuáles son los efectos de este reconocimiento?

El Estado legítimo adquiere los derechos ya mencionados de visita de buques, bloqueo de puertos, y confiscación del contrabando de guerra. Las naciones que reconocen la beligerancia se imponen el deber de observar la más estricta neutralidad entre los combatientes: es decir, que ninguno de sus ciudadanos puede servir la causa de ninguno de aquellos; ni en su territorio pueden alistarse gentes para ir a servir ni a uno ni a otro de los dos ejércitos en guerra; ni en sus puertos armarse ni aprovisionarse buques para los insurrectos ni para los leales. Los rebeldes, con el reconocimiento que se hace de su beligerancia, ninguna ventaja directa o positiva adquieren, pues el no poder las naciones extranjeras ayudar como amigas al Estado que ellos combaten es ventaja escasa si se atiende a que este necesita menos, ordinariamente, de aquella ayuda, por sus mayores recursos y más sólida organización; y, en cambio, ellos, los rebeldes, que necesitan más auxilios del exterior, se ven más privados de aquellos que una nación extranjera, con cierta laxitud y disimulo, pudiera facilitarles antes de que con el reconocimiento de su beligerancia se hallara constreñida a una neutralidad escrupulosa, mejor garantizada y sancionada con los derechos que el Estado legítimo adquiere, que la antigua amistad más abandonada a una buena fe dudosa e insancionable.

Pero lo que dejan de ganar, y hasta lo que pierden los insurrectos en utilidad positiva con el reconocimiento de su beligerancia por parte de naciones extranjeras, lo gana la insurrección en fuerza moral, en prestigio, en importancia a los ojos de todos. Es dicho reconocimiento una especie de sanción dada por el mundo civilizado a los ideales de los insurrectos, una confesión de la posibilidad de su triunfo, y hasta un augurio de victoria. Y como el hombre no vive solo de pan, y las insurrecciones no viven solo de armas, municiones y número de soldados (ni los Estados legítimos tampoco), por esto todas las rebeliones desean ardientemente esa especie de consagración de sus ideales y de sus esperanzas: con ella cada insurrecto lleva una ilusión más en la frente, y un hombre ilusionado vale por diez en la lucha.

Por esto también el Estado legítimo, que con el reconocimiento de la beligerancia gana indudablemente en ventajas positivas, se siente contrariado, mortificado por él; porque presiente el valor de la ilusión que los rebeldes ganan y que él pierde. Al enfermo de un mal grave no le gusta y hasta le quebranta el que se lo designen con el nombre categórico y pavoroso de una enfermedad que puede ser mortal, y le parece que no se ha de morir mientras le sea lícito decirse que tiene un constipado fuerte o un reuma molesto. Un Estado legítimo se siente más fuerte y animoso mientras no le priven de llamar a las fuerzas insurrectas «cuatro pandillas de bandidos».

La poetización de la fuerza

Con ocasión de la guerra sudafricana, la Revue des Deux Mondes ha publicado un estudio de M. Th. Bentzon sobre el ejército inglés tal como aparece pintado en diferentes obras de Rudyard Kipling. El resultado de este estudio es muy poco favorable a dicho ejército, y a Kipling, quien ha ensalzado sus defectos y sus abusos con una despreocupación moral que el articulista francés condena vivamente en nombre de los sentimientos de altruismo y dignidad humana, puestos por el poeta inglés a los pies de la fuerza bruta glorificada.

Pero lo que por de pronto nos ha interesado más del trabajo de M. Bentzon es la especie de semblanza que, antes de entrar en materia, dibuja de Rudyard Kipling; porque este poeta resulta en realidad una figura muy notable y muy significativa en el moderno movimiento literario, pero aquí es, en general, desconocido, pues ninguna de sus obras ha sido traducida al español, y muy pocas al francés. Y, sin embargo, en Gran Bretaña y en todos los pueblos de lengua inglesa (Estados Unidos, Australia, India, etc.), su celebridad es inmensa: hace furor, como vulgarmente se dice.

Rudyard Kipling nació en la India inglesa, en Bombay, y tiene ahora treinta y cinco años de edad. Sus escritos, que apasionan a millones de lectores, desde los más refinados hasta los más humildes, son de un estilo sumamente original; no se parecen a nada conocido y no pueden ser imitados: son algo fuertemente personal y singularmente espontáneo, una mezcla de realismo brutal expresado en el caló de los barrios bajos de Londres, al lado de un cierto simbolismo poético cargado con los exóticos perfumes de las selvas vírgenes y de los países remotos que Kipling ha recorrido personalmente anfrentando los rigores de todos los climas, todos los géneros de vida, todos los peligros.

Es Kipling una especie de reportero-poeta que ha visto muchas cosas de cerca, y esta visión directa y vasta de la realidad, contrastando con la poesía de gabinete, en que tantos poetas se aniquilan difundiendo su nihilismo en la masa del público, constituye indudablemente la gran fuerza y produce el mayor atractivo de sus obras. Uno de los admiradores del poeta inglés le ha calificado de prototipo de los grandes escritores del porvenir, que han de ser una especie de gacetilleros transfigurados, de gacetilleros artistas, o de artistas gacetilleros. A nosotros nos parece que lo segundo es muy distinto de lo primero. En todo caso preferimos el gacetillero-artista.

Es tal la influencia que Kipling llega a ejercer sobre el espíritu anglosajón, que hay quien sostiene que la guerra actual sudafricana ha sido sugerida por este escritor. Parece que él fue el primero en designar la república del Transvaal como obstáculo a la expansión de la civilización inglesa. En medio de las pomposas fiestas que hace pocos años se dieron en Inglaterra para celebrar el llamado jubileo de la Reina Victoria, y en las que puede decirse que por primera vez se reveló la inmensidad de la fuerza, riqueza y esplendor del Imperio anglosajón, brotó de la inspiración de Kipling el Recessional hymn, canto patriótico con pretensiones religiosas, que —dice M. Bentzon— es un monumento del orgullo humano.

Kipling quiere la guerra: gusta de entrar en los combates y cantar con júbilo feroz la embriaguez de ellos. A sus héroes favoritos, los soldados del ejército colonial, parece venirles el agua a la boca cuando se recrean hablando de las diferentes maneras de matar. Para Kipling la virtud capital es la fuerza, «así se trate de un individuo, de una máquina o de un imperio»; para él lo único criminal y vergonzoso es la debilidad, la cobardía.

Buena muestra de su desprecio por todo lo que no sea la acción se encuentra en su balada de Tomlinson. Tomlinson es un ciudadano de Londres que, después de muerto, se presenta sucesivamente a las puertas del paraíso y a las del infierno, siendo rechazado de unas y otras porque, al dar cuenta de su vida, solo puede acusarse o alabarse de ideas, de sentimientos, de deseos: en su vida no hay actos.

—Vete— le dicen—, tu lugar no está ni entre los buenos que fueron activos, ni entre los que guardan el orgullo de sus maldades. El diablo añade a esto chistosas reflexiones sobre la degeneración de la raza de Adán, declara que no vale la pena de gastar carbón en tostar gente semejante, y entrega Tomlinson a los diablillos que echándoselo unos a otros como una pelota reventada descubren que dentro de él no hay rastro de alma y sí un relleno de viento y papel impreso con algunas ideas robadas al prójimo.

La última obra de Kipling, Stalky y Compañía, que parece dedicada a la educación de los adolescentes, es la historia de tres muchachos condiscípulos cuyas heroicidades consisten en no asistir a las clases y entregarse frenéticamente al pugilato y a toda clase de peligrosas aventuras. Esta es la mejor manera —dice M. Bentzon— de empezar a formar buenos reclutas para los ejércitos coloniales, para la conquista del mundo por Inglaterra.

Obras por ese estilo, en tiradas de millones de ejemplares, haciendo las delicias de una raza ya demasiado propensa a los excesos de la acción, y formando la educación de la juventud de esta misma raza, puede calcularse a qué conducen, y si no hay para echarse a temblar cuantos —como Tomlinson (y hay pueblos enteros de Tomlinsones)— sientan más letras de imprenta en su alma que fuerza en sus puños.

«¿Y este hombre que admira a M. Cecil Rhodes dispensándole de toda moral en gracia a ser un constructor de imperios —añade hacia el fin M. Bentzon citando una revista norteamericana— se atreve a componer cantos religiosos, a elevar su voz hacia el Dios de justicia? Su Dios, si alguno tiene, debe parecerse mucho a una conjunción de diablos: el diablo del orgullo imperial, el de la sed de oro, el de la concupiscencia de territorios. Y esta cuestión del Dios de Rudyard Kipling tiene su importancia porque toda Inglaterra y toda América se hallan en gran peligro de adorarlo».

Y nosotros añadimos que el caso de Rudyard Kipling en Inglaterra es más grave, porque forma parte de una corriente literaria general que está ya más que iniciada. En cada país muestra un aspecto especial, aunque en la mayor parte su origen inmediato (como en Italia con Gabriele d'Annunzio) parece ser la asimilación del vitalismo exasperado de Nietzsche, reaccionando contra el espiritualismo mortecino y demasiado vago de los últimos tiempos.

Pero si a un pueblo robusto como el anglosajón la exaltación de su fuerza puede conducirle a la conquista inmoral del mundo, ¿a qué conducirá poetizar demasiado exclusivamente la animalidad en los pueblos débiles? La mayor victoria de estos solo podría consistir tal vez en infundir un ideal a la fuerza material de aquellos: así Grecia dominó idealmente a Roma, después de que esta la hubo conquistado.

El alma castellana

Si por alma puede entenderse la intensificación espiritual de la vida material, el señor Martínez Ruiz ha estado muy acertado en poner al libro que acaba de publicar en Madrid este título: El alma castellana.

El señor Martínez Ruiz ha procedido de este modo: ha tomado la vida castellana en la madurez completa —y aun algo más que completa— de su historia (1600-1800); la ha tomado en documentos de la época; ha extraído y agrupado de estos lo más vivo, lo de mayor significación, y en un estilo conciso y palpitante —que es hasta raro en la moderna literatura castellana— nos ha dado una clara imagen de la vida de dicho pueblo, tan clara y tan viva que transparenta el alma.

«La historia es arte de nigromántico —dice el autor en alguna parte de su libro—: toda historia puede ser de diferente manera de como es. Los pequeños hechos tienen eso: que se prestan a todo. Son como las diminutas piezas de los mosaicos: se pueden formar con ellos mil combinaciones y figuras. En España, por ejemplo, podría demostrarse que la literatura del siglo de oro decayó por la Inquisición; que esa misma literatura floreció por la Inquisición; y que la Inquisición no tuvo nada que ver con la literatura. Los pequeños hechos por sí no dicen nada; el arte está en escogerlos, agruparlos, generalizarlos, agrandarlos, hacerles decir lo que el historiador quiere que digan. He aquí la nigromancia».

Pues bien, el señor Martínez Ruiz es un gran nigromante, y, en general, un nigromante despreocupado; es decir, que no se propone hacer ver ni más ni menos que lo que ve, y ve algo de la realidad fundamental de las cosas. Hemos dicho en general porque en algún momento, y precisamente en lo que a la Inquisición se refiere, parece notarse en el señor Martínez Ruiz algo así como una apasionada crueldad de presentación; pero, aparte de esto y aun con esto, la evocación del alma castellana es poderosa y certera.

El libro se lee con avidez, y de su acerado estilo surge Castilla con sus inacabables y polvorientos llanos abrasados por el sol, sus raros pueblecillos parduscos, los muros bermejos de viejo castillo moruno, sus casas de labor solapadas entre los olmos y dormidas en el bochorno de la siesta, y sus ventas destartaladas con anchísimos patios.

Surge el castellano, noble, ocioso, pobre, vanidoso, altivo. «Era muy común gastar doscientos, trescientos o más ducados en un vestido», dice el autor tomándolo de Flores y refiriéndose a principios del siglo XVII. «Cuarenta y cuatro reales daba el alcalde de Córdoba a su criado Alonso para gasto de toda la semana», ha dicho antes citando a Jerónimo de Alcalá. Surge el teatro español, los cómicos corriendo aventuras por las ventas, y la vida picaresca.

«Las almas más enérgicas, más grandes, más españolas de los siglos pasados están en los conventos. Lecciones provechosas, fecundas lecciones de fe y entusiasmo puede tomar el artista en las vidas de Teresa de Jesús, Juan de la Cruz, Juan de Ávila, Álvaro de Córdoba, Luis de Granada. Todo el genio de la raza esta aquí. No es inactivo, silencioso y absorto en los grandes claustros solitarios el misticismo español; es religión batalladora, inquieta, andariega, proselitista; peregrinea en largos viajes, predica en campos y ciudades, funda monasterios, reforma órdenes, combate la herejía, mantiene perpetua batalla contra las pompas y lacerías del mundo». Así empieza el capítulo IX de El alma castellana, y realmente la energía inquieta y menospreciadora de lo terrenal parece la nota característica de ese pueblo, grande a fuerza de ser aventurero. Esto es lo que da unidad a las diferentes manifestaciones de su vida, desde la del fraile fundador que muere en olor de santidad, hasta la del pícaro que acaba en la horca arrogantemente.

Y he aquí la observación del señor Martínez Ruiz, que tenemos por exactísima: que la literatura, expresión del alma del pueblo, es en Castilla literatura de acción; que por esto lo que sobresale en ella y le da fama universal es el teatro. «No ven —dice— la poesía íntima de la naturaleza, ni perciben las misteriosas relaciones de las cosas. La vida es acción, y tanto más admirable será la obra de arte cuanto más rápida, complicada y peregrina sea la acción. En vano buscaremos en el teatro sencillez y verdad. Hay comedia que acaece en Lisboa, Santa Fe, Granada, Barcelona, Guanahani, en medio del mar y en el aire; en otras dura la fábula doscientos años... Lo que importa es que los personajes se muevan, que ocurran acontecimientos maravillosos, que las aventuras sucedan a las aventuras... El mismo impulso de la acción lleva a nuestros antiguos poetas al culteranismo. Causa aparente del culteranismo es el afán exagerado de elegancia en el estilo; causa interna y verdadera es la necesidad de movimiento. Aguzar el ingenio es vencer obstáculos; desenvolver inacabable serie de imágenes y conceptos es ejercitar la fuerza y la destreza. El culteranismo es la más alta expresión del movimiento en el lenguaje».

Esta vocación por la acción, signo principal de las razas grandes, el señor Martínez Ruiz nos la muestra en la castellana por síntesis admirable. Lo que después de ello interesaría determinar es la naturaleza especial de aquella gran cualidad en el pueblo castellano: por qué defecto, por qué debilidad, por qué extravío, aquella energía ha malparado dejando de evolucionar en lo moderno.

Algo se puede adivinar de ello en la pintura que, después de la del clásico siglo XVII, hace el señor Martínez Ruiz del siglo XVIII en España. En ella se ve que, por un lado, las costumbres decaen y se afeminan y por otro el espíritu científico que invade Europa penetra también en España, produce hombres eminentes como Feijóo, Mayans, Rodríguez, Sarmiento, etcétera, se convierte en moda entre la aristocracia que gusta de citar a Descartes y Newton en tertulias y hasta en los tocadores de las damas, y remueve la masa del pueblo.

Y entonces presenta el autor la anomalía dentro de la cual se esconde quizás el secreto de la decadencia española: «Aumenta la libertad en las ideas y en las costumbres —dice—aumenta al propio tiempo en los gobernantes la opresión. Todo se reglamenta, se inspecciona, se prohíbe... No se permite hablar de política en fondas ni cafés, ni jugar a los naipes, ni leer gacetas u otros papeles públicos, ni tampoco fumar; oblígase en algunas partes a los vecinos a encerrarse en sus casas a la hora de la queda, en otras a no salir a la calle sin luz, a no pararse en las esquinas. Se dirá que todo se sufre —añade citando a Jovellanos—, pero se sufre de mala gana; todo se sufre, pero ¿quién no temerá las consecuencias de tan largo y forzado sufrimiento?»

Se siente en esto un divorcio muy marcado entre el país y sus elementos directores, que hace sospechar en el pueblo español una cierta ineptitud en producirlos adecuados a su temperamento y a las necesidades de los tiempos. Esta ineptitud en medio de tan grandes cualidades pudiera muy bien ser el genio malo de España y la causa de todas sus decadencias.

Porque tal causa no puede ser una simple cuestión de régimen político. «El conflicto estalla; la monarquía absoluta pasa a la historia», concluye el señor Martínez Ruiz después del párrafo antes citado.

Sí; la monarquía absoluta pasa a la historia, pero ¿y después?

El señor Martínez Ruiz queda en debernos una segunda parte de su estudio. «El alma castellana en el siglo XIX». Puede hacerla, y puede hacerla muy provechosa para España.

Y si, así como él ha sabido revelar el alma castellana, que indudablemente ha podido llamarse el alma española por muchísimo tiempo, se encontrara quien supiera buscar otras, ocultas durante siglos por los espacios de la Península ibérica, quizás, combinándolas, los españoles adquiriéramos conciencia de una alma nueva que buena falta nos hace.

Armas y letras

Virtualmente, la lucha por el oro ha terminado; los boers han sido vencidos, y la tierra del oro será inglesa.

Ese resultado era ya previsible; los boers hubieran podido rendirse a discreción el día mismo en que la guerra fue declarada, y lejos de perder más de lo que ahora perderán, hubieran ahorrado un tesoro inmenso de fuerza nacional, de sangre, de riquezas de toda clase, y se hubieran ahorrado también el encono del conquistador al imponerles su ley.

Esto lo sabían ellos de antemano y, sin embargo, se lanzaron a la lucha con ardiente entusiasmo; esto lo preveía el mundo entero, y, sin embargo, todo el mundo aplaudió la abnegación y la arrogancia del pequeño pueblo, animándole a la lucha, jaleándole, diríamos, pues la simpatía no pasó del aplauso.

¿Por qué aquel entusiasmo y por qué este aplauso ante una segura derrota? Porque el pueblo digno del nombre de tal, que sabe que va a luchar por su independencia, no calcula beneficios ni pérdidas: vivir o morir, esta es su ganancia o su pérdida. En cuanto al porqué del vocerío excitante y del aplauso de las naciones, toda vez que no han pasado a otras vías de hecho, solo podemos encontrarle en el interés que despiertan siempre las luchas de circo, aumentado en este caso por ser uno de los luchadores generalmente odiado.

Este es el que ha vencido porque era el más fuerte: y como para contrarrestarle nadie ha ido a ponerse al lado del más débil, nadie tiene derecho a quejarse del previsto final del espectáculo. ¿Hay ahora algún pueblo dispuesto a vengar el aniquilamiento del vencido? Si no lo hay, limítense todos a devorar en silencio su odio acrecentado a Inglaterra victoriosa. El odio impotente es todo el derecho de los débiles o de los cobardes.

En cambio, los débiles valientes, los pequeños fuertes, los boers, aun vencidos y despojados, conservan todos sus derechos, aunque de momento solo puedan ejercitar uno: el derecho a la esperanza: hermoso derecho, y muy raro; pues muchos que creen tenerlo carecen de él en absoluto. Tienen derecho a la esperanza aquellos hombres o pueblos que pueden y saben trabajar por lo que esperan; que son virtuosos, esto es, varoniles. Los boers han demostrado serlo, y pueden esperar aún bajo todo el peso del imperialismo inglés y de todos los imperialismos del mundo. El día de su resurrección llegará: cuándo y de qué modo, es lo que no puede preverse.

Pero, ¿resucitan los pueblos? Los que mueren con alguna virtud, sí. Una virtud cualquiera puede resucitar a un pueblo destrozado, porque, por pequeña que sea, es un algo de alma, algo de germen inmortal que hace al tiempo fecundo y origina los renacimientos.

¡Renacimiento! ¡Qué bella suena esta palabra en los oídos y en el alma!

Renacimiento se titula un artículo que acabamos de leer en un periódico belga y que tiene relación muy remota y muy próxima con las divagaciones antes apuntadas. Como nos ha sorprendido con el sentido abierto a ellas, quizás por esto nos ha impresionado tanto, que nos sentimos impulsados a asociarlo a las mismas.

«El imperialismo—dice—está en moda: su solo nombre electriza los ánimos y excita los apetitos... Todo parece tender a la unificación, y la originalidad va pareciendo la cosa más rara del mundo. Y, sin embargo, ciertos indicios —añade— parecen también anunciar algo nuevo... En el seno mismo de tanta concentración política iniciase un movimiento contrario, que se hace visible sobre todo en el renacimiento de lenguas, tradiciones y aspiraciones nacionales».

«Por todos lados pequeños pueblos se ponen en marcha, y el renacimiento de las lenguas populares es la señal de la partida».

Cuarenta años atrás el checo era considerado como un dialecto despreciable. Un día, tres o cuatro patriotas reunidos juraron restaurar los derechos de aquella para ellos lengua nacional, y su solo impulso produjo con el tiempo el actual movimiento, de proporciones enormes. El checo ha exhumado sus títulos olvidados en el polvo, ha formulado imperiosamente sus reclamaciones, ha logrado que se le hiciera justicia y se le rindiera homenaje, y hoy concluye su marcha triunfal instaurándose en los tribunales, en las escuelas y en las corporaciones provinciales.

Y Europa cuenta ya con un cierto número de renacimientos análogos que se desarrollan con mayor o menor éxito. El finlandés, el flamenco, el catalán, el esloveno y otros idiomas han despertado de su sueño secular y han sacudido el yugo de otras lenguas que les dominaban. Hombres generosos se han consagrado a la obra patriótica de su restauración.

En la extremidad occidental de la misma Europa se anuncia hoy un nuevo renacimiento. Otro lenguaje se lanza a la vida: el irlandés, rama del gaélico. Era también tenido como oscuro dialecto, hablado solamente por los pobres campesinos de la más miserable de las provincias de Erin, Connaugth, país pantanoso y triste; y parecía amenazado de próxima muerte, pues los nacionalistas irlandeses habían olvidado inscribirlo en el programa de sus reivindicaciones.

Hoy ya es otra cosa. Merced a la Liga gaélica, rápidamente extendida, se tiene a gran honor en Irlanda comprender y hablar el antiguo lenguaje. El impulso ha atravesado el canal de San Jorge, y en la última sesión del Parlamento de Westminster se promovió la cuestión de la enseñanza del gaélico en las escuelas irlandesas. Como era de esperar, la petición no prosperó; pero en el próximo período parlamentario se reproducirá con más fuerza.

Desde luego se ha conseguido fijar la atención de todo el público inglés sobre este asunto; y en el último número de la Nineteenth Century, M. G. Moore da una traducción inglesa de varias composiciones de un poeta gaélico contemporáneo que se llama Douglas Hyde, y dice que pueden sostener el parangón con las mejores publicadas por los poetas ingleses de diez años a esta parte. M. Moore titula su artículo: En defensa del alma irlandesa, y es realmente una defensa generosa en términos vibrantes: «Destruir la lengua de una nación —dice— es como destruir su alma: sacrilegio más detestable que el bombardeo del Partenón o el incendio de Persépolis».

M. Moore sostiene que los antiguos lenguajes populares serán un día el único refugio de la poesía, cuando las lenguas europeas hoy más extendidas, despojadas ya de toda originalidad, se hayan convertido en simples jergas de traficantes y agiotistas.

Cuando se trata de arrebatar a los irlandeses las tradiciones de expresión de su raza, sus canciones y sus leyendas —concluye—, no es para darles en cambio las concepciones poéticas de un Shakespeare, sino las insulsas bajezas de la prensa barata de Londres. Si Inglaterra quiere una Irlanda fiel y leal, déjele su alma céltica, déjele su lenguaje renaciente».

Este artículo sobre letras nos ha parecido completar en cierto modo nuestras divagaciones sobre la victoria de las armas inglesas en el Transvaal.

Arte y patria

El literato francés Jules Case, en el último número de la Nouvelle Revue, trata incidentalmente una cuestión de gran interés general artístico, pero que lo ofrece además muy especial para la literatura y el arte catalanes que buscan cada vez más sus impulsos en el movimiento extranjero.

Este extranjerismo, muy provechoso hasta cierto punto en el sentido de armonizar nuestro sentimiento estético con el general de los tiempos, y de europeizar nuestra expresión, no debe, sin embargo, conducirnos a un cosmopolitismo literario y artístico que nos des caracterice, pues entonces, a fuerza de querer ser mucho, nos convertiríamos en algo insignificante, es decir, en nada.

«No hay aserción más desprovista de fundamento —dice M. Jules Case— que la gran tontería que corre por el mundo, tan infatuada, que apenas hay quien se atreva a contradecirla, a saber: que el arte no tiene patria. Si con esto quiere darse a entender que un hijo del renacimiento italiano, por ejemplo, haría mal en desconocer la inspiración del arte gótico, nada hay que objetar. Pero si se pretende que el arte no depende de las circunstancias geográficas e históricas; que es una emanación libre del alma humana aparte o por encima de la naturaleza de cada pueblo, de igual impresión y expresión para todos ellos, entonces con testaremos que esas ideas arbitrarias no tienen consistencia alguna real, pues la realidad contiene diferencias, distinciones y hasta barreras infranqueables entre los pueblos. Negarlas o querer suprimirlas, soñar con la fraternidad universal, es tender a la destrucción del arte que vive de la originalidad y del particularismo, que cobra forma y duración no de un sentimiento humano abstracto y vago, sino del hecho preciso individual, innegable, de la raza, del pueblo, del organismo social vivo. No hay manera de escapar a estas condiciones. Goethe, con toda su cultura, produjo obras esencialmente alemanas. Enrique Heine se hizo parisiense, pero nunca llegó a ser francés. El escritor sin patria deja de ser personal, y por tanto deja de ser artista».

Tenemos esta aserción de M. Jules Case por una gran verdad cuya meditación ha de sernos muy provechosa. Hay que meditarla para no darle ni más ni menos alcance del que conviene a la. realidad de las cosas. No vayamos tampoco a creer que el artista ha de aislarse en su terruño, rodeándose de una imaginaria muralla de la China y desdeñando cuanto pasa más allá; porque entonces perecería en la mezquindad de su atmósfera estancada.

A nuestro entender, el artista ha de tener siempre el sentido abierto a toda manifestación de vida, a toda expresión de la belleza y del sentimiento de la belleza, a todas las voces y ecos de dentro y fuera, de cerca y de lejos, del presente y del pasado, a toda forma estética. Para el artista, cuanta más cultura mejor; cuanto más atesore de lo ajeno, más enriquecerá su individualidad; a condición, sin embargo, de que esta sea bastante fuerte para asimilar cuanto absorba. La asimilación es condición esencial de la originalidad y de la vida artística en general, como lo es de la vida fisiológica. Porque nadie, ni los más grandes genios, crean propiamente nada de sí mismos: lo que hacen es recrear (diríamos) de una manera personal lo que de afuera ha penetrado en ellos: y cuanto más vasta y más fácil sea esta penetración, más vigorosa y más llena de sentido será la recreación antes dicha.

Pero no todos los artistas lo son en el completo sentido de la palabra, es decir, no todos tienen la fuerza de asimilar, de convertir en substancia propia cuanto en ellos penetra; sino que muchos no pueden hacer más que expresar el sentimiento de lo bello tal como les ha sido sugerido por sus maestros más admirados y en la misma forma que estos, más o menos disfrazada. Y entonces, así es la producción según el modelo; pero la obra nace muerta porque le falta el alma, la personalidad viva del artista, cuyo oficio queda reducido al de substancia vibradora o brillante que devuelve en ecos o reflejos más o menos fieles los sonidos o luces que la hieren.

Refiriéndonos especialmente a la poesía, supongamos que un poeta se enamora de la musa popular y se deleita largamente en las canciones y dichos de la tierra. Si él es poeta verdadero, acabará por hacerse un alma popular personal que en sus momentos de inspiración cantará como el pueblo... hecho poeta en él. Pero si él no es poeta completo, si no ha tenido fuerza asimiladora, se creerá inspirado cuando sienta una canción popular muy bella, y su obra será un eco de esta, no un canto de su alma, indiferente a lo que pasó fuera de ella.

Pues vengamos ahora al caso del extranjerismo nuestro. En Cataluña, por razones históricas, geográficas, sociales, etc., que no nos proponemos ahora investigar ni discutir, se presta grande atención al movimiento extranjero: Ibsen, Maeterlinck, Tolstoi, Nietzsche, d'Annuncio, tienen muchos admiradores apasionados entre nuestros poetas. Pero algunos de estos, por falta de personalidad o por precipitación, en vez de aprender a sentir en su alma catalana lo que de arte universal hay en el alma septentrional, o eslava, o italiana del maestro admirado, y dejar que la suya así influida cantara en catalán su canción propia, se han lanzado a producir obras ibsenianas, maeterlinckianas, etc., que de catalán apenas tienen lo más exterior, el vocabulario, y de personal el amaneramiento.

Lo que ha sucedido con la literatura ha sucedido también con las otras artes bellas; y así nos ha invadido el extranjerismo en el mal sentido de la palabra.

Y cuando el público no ha sufrido con paciencia de snob la extraña imposición, y ha murmurado de nuestras extravagancias, nosotros, cuantos más o menos hemos cooperado en ellas, nos hemos erguido arrogantemente y hemos arrojado al público esta frase: «El arte no tiene patria».

Y es verdad que el arte no tiene patria; pero la tiene el artista, y con tenerla, el deber de injertar en ella, por medio de su alma personal, cuanto pueda ab sorber del alma del universo.

El medio por excelencia de lograrlo es, a nuestro entender y por lo que a las obras literarias se refiere, la traducción.

Con la traducción hecha por amor y con artística pureza de intención, volvemos a vivir en nos otros, y a nuestra manera, lo que el autor vivió a la suya en el original; incorporamos a nuestra esencia la esencia ajena; nos universalizamos sin perder nuestra personalidad, pues, por el contrario, la fortalecemos al contrastarla con la ajena trabajándola en propio; nos educamos con el trato de los maestros más admirados que elevan nuestro sentimiento y nuestro estilo; enriquecemos nuestra lengua profundizada por las dificultades de la traducción,. y la ennoblecemos con la asimilación de las obras más altas; finalmente, educamos al público en el amor y el respeto a ella, al mostrársela capaz de contener las grandezas universales.

Sea este nuestro extranjerismo. Apoderémonos con amor de lo del Norte y de lo del Sur, de lo antiguo y de lo moderno, pues hombres somos como cuantos vivieron y viven en el tiempo y el espacio; pero antes de dar nuestro tesoro a la patria, hagámoslo nuestro, hagámoslo suyo, especificándolo en nuestra alma, que suya es también: no fuera que se nos reivindicara por ajeno, y al encontrar la patria con él, se nos la llevaran.

Las lenguas francas

Recorriendo la vertiente francesa del Pirineo y los llanos más próximos, nos hemos enamorado de ese lenguaje áspero y dulce, duro y musical, libremente matizado de comarca en comarca y hasta de pueblo en pueblo desde Provenza a Bayona; y hemos reconocido en él nuestra misma expresión catalana del lado de acá de la cordillera, con variantes múltiples y encantadoras.

Íbamos de camino para Gavarnie en la oscuridad de la noche. Caminábamos a pie, y en las cercanías de un pueblecillo que lleva un nombre bonito, Gedre, surgió entre las tinieblas preñadas de bosques y de peñas como una pequeña hada, una niña de cinco o seis años pidiendo limosna —¿podíamos negársela? — La hicimos hablar por el gusto de oírla. — ¿Cómo llamas tú a las estrellas? —le preguntamos (en aquellas alturas solo se nos ocurrió nombrar cosas grandes y maravillosas). —Lis esteles— contestó con su vocecilla de hada en el infinito silencio. ¿Lis esteles! Alzamos los ojos al cielo y las estrellas nos parecieron brillar con nueva luz del inmortal misterio. Y en seguida recordamos la canción de la Magalí provenzal (que en dialecto bearnés dirían Margalide, y nosotros Margarida «Ei plen d'estello aperamount»; y la dulce libertad del verbo pirenaico nos penetró deliciosamente; y nos sentimos profundamente alegres de que nuestra lengua fuera una lengua libre y franca, sin gramáticas ni academias que la encierren, sino abierta a toda expresión espontánea de cada lugar, hasta de cada individuo y hasta de la pasión de cada momento.

¡Qué poco sentida es esa felicidad en nuestras mecánicas civilizaciones! Nos ha apenado muchísimo observar la poca estima en que los pueblos pirenaicos franceses tienen su bello idioma. Las clases populares lo hablan entre sí con una cierta conciencia de inferioridad; pero delante de un extranjero o de cualquier persona que les parezca culta, se avergüenzan de su lenguaje vivo, lo callan con tenacidad, y van irresistiblemente al francés, a la expresión oficial que, claro está, brota muerta y corrompida en sus labios hechos para la música de la expresión pirenaica.

¡Oh! ¡Esta maldita preocupación de la lengua uniformemente hablada por los millones de hombres (cuántos más, mejor), más poderosa aún en la demasiado bien administrada tierra de Francia que en la nuestra! —Yo no hablo para que me entiendan solo dos millones de almas— dice a veces algún catalán para renegar de su lengua materna. —¡Infeliz! Con un hombre que te entienda bien, si es que tienes algo de sustancia que decirle, puedes darte por bien contento. Comunicar algo nuevo, personal, tuyo, a un solo hombre ¿crees que es poco? Pues es toda una creación. Veamos ahora lo que vas a decirle, en una lengua contrahecha, a esa multitud que no te basta sea de dos millones. Probablemente nada.

Es que la tendencia de la humanidad —exclaman enfáticamente— es a la unidad universal. —Eso mismo debían decir los romanos del imperio cuando veían su lengua latina extenderse por todo su mundo conocido. Y cabalmente mientras lo decían, aquel latín tan perfecto empezaba a ser una hermosa lengua... muerta. Por doquiera que se extendía empezaban a descomponerla millares de gérmenes locales, restos vivos de quién sabe qué otras lenguas nacidas, universalizadas y deshechas desde la torre de Babel. Y de aquella lengua latina, descompuesta por mil dialectos rústicos, brotaron las lenguas romances, que hoy nos parecen tan universales y que mañana serán tan muertas como aquella. Porque aquí lo único universal es la expresión viva, y con la vida mudable, de cada pueblo. Y allí donde una de estas expresiones se cree presuntuosamente llegada a perfección, y se decide a fijarse, y se erige en idioma oficial mecanizándose en una gramática y cerrándose en una Academia, allí mismo empieza su muerte. Lo único realmente vivaz son los dialectos, las lenguas francas de gramáticas, libres de academias.

Los que odian el renacimiento catalán creen haber hecho el mayor desprecio de nuestra lengua y haber inferido el mayor agravio a nuestro amor propio cuando han dicho que el catalán es un dialecto. ¡Tontos! Y más tontos nosotros en darnos por ofendidos y entrar en bizantina discusión acerca de si nuestro catalán es o no idioma. ¡Idioma! ¡Lengua! ¡Dialecto!... Palabras, palabras, palabras... ¿Dónde está la lengua original, la pura? En la torre de Babel quedó. Vayan a buscarla allí los alardeadores. Porque, por lo demás, cada cual se da a entender cómo puede, y los únicos timbres de nobleza de un lenguaje son las grandes obras de expresión de sus poetas; y su mayor belleza es su espontaneidad, su libertad, que le asegura larga vida, iluminada por la esperanza de futuros genios que encuentren en aquella libertad el verbo de sus aspiraciones. Y entre esto y la contemplación de un bello pasado que se inmoviliza y muere, ¿quién pondrá en lo último un orgullo insensato? Si el único estigma con que amenazáis la franca expresión de mi lenguaje es el llamarle dialecto, yo bendigo el haber nacido hablando a mi manera y no cautivo de un diccionario. Si me preguntáis burlonamente dónde está mi gramática, contestaré arrogantemente: —Mi gramática está en mi humor, en mi pasión, en el verbo libre de los genios que sean hermanos míos en expresión. —Si me preguntáis dónde está mi academia, diré: —En las montañas, en los valles, en las costas de la mar, en los arrabales de las grandes poblaciones: allí están los pastores que todo lo nombran a su manera hablando con sus rebaños, allí los labradores que escuchan atentamente la tierra, allí los marinos que oyen voces en los vientos y en las olas que vienen de todas partes, allí los obreros que todo lo dicen con humor variable; y vagando palpitantes: entre todos ellos, los poetas. Tales son los académicos de mi lengua. Ved si la Academia es grande y pura.

Y en cuanto a la tendencia a la unidad, ¡ah!, dejad que me ría de vuestras externas unidades. Yo no adoro otra unidad que la íntima del amor que me une con todos los hombres sin quitarme nada de la libertad de mi tierra, de mi casa, de mí mismo. Yo me entenderé muy bien con todos aquellos a quienes ame y me amen sin necesidad de violentar mi expresión. El amor, helo ahí el gran idioma universal. Yo creo que la torre de Babel es símbolo del día en que los hombres dejaron de amarse por querer escalar mecánicamente el cielo...

¡Cómo quisiera meter este sentimiento en las entrañas de nuestros hermanos pirenaicos que desprecian su patois (patois, pero suyo), por la hermosa lengua de Racine (hermosa, pero de Racine)!

El libro ideal

Tengo ante mí la mesa limpia de libros. Así me gusta entrar en el año nuevo: sin velos en los ojos, sin lentes de aumento ni de disminución, sin transparentes de colores claros u oscuros. Los hombres y las cosas, vistas directamente, a su luz natural, con la vista mía tal como Dios me la dio: así me gusta entrar en el año nuevo: empezando la vida otra vez.

Gran cosa es un libro bueno: ayuda nuestra visión con la ajena, la multiplica y enriquece; pero, por bueno que sea, no sé qué tiene de muerto, de definitivamente limitado e inmóvil, que se me figura siempre, no una luz viva sino un reflejo, no un ojo sino un cristal, no una voz sino un eco. Gran cosa son las epístolas de San Pablo, pero ¿qué en comparación con lo que debió ser la voz viva de San Pablo, su acción y sus ademanes? Gran cosa es también la Divina Comedia de Dante, pero ¿qué en comparación con las visiones de Dante?

Y ya no digo cuando el libro es reflejo de reflejos, eco de ecos, sombra de sombras. ¡Cuánto más no vale entonces la contemplación directa de la vida, por humilde que sea, la piedra en la calle, que no es un reflejo, el cambio de balbuceos de un infante!

Por esto a mí me gusta empezar la vida nueva del año nuevo sin libros por delante; por esto mi mesa limpia de ellos me da una sensación de libertad y pureza, que es un nuevo comienzo de vida, y es un criterio para considerar los libros que no han de tardar en venir.

Ante la mesa limpia, mis sentidos libres se dejan penetrar deliciosamente por la realidad viva. Veo el sol en el cielo, y las montañas, y las copas de los árboles mecidas por el viento; oigo los gallos cantar, y voces infantiles, y el hombre que pica piedra en la calle. Y pienso en el libro que ha de venir, el que todavía no me estorba, el que puedo imaginar a mi gusto, el libro ideal.

Si el cielo iluminado y las montañas y los árboles movidos por el viento entraran por mi ventana y tomaran expresión sobre mi mesa, este sería mi libro ideal. Si los niños que gritan a lo lejos llegaran a mí con sus rostros sonrosados y sus ojos puros y la incoherencia de sus gestos y sus voces, este sería mi libro ideal. Si el hombre que pica piedra en la calle subiera a mi estancia y empezara a hablarme desde el fondo de su alma, este sería también mi libro ideal. Pues ya tengo criterio nuevo para el primer libro que se presente en mi mesa. Cuanto menos perturbe, cuanto más intensifique la serena contemplación de mis sentidos en su libertad actual, mejor será; cuanto más se asemeje al cielo con lo que bajo él se mueve, cuanto más se asemeje a un niño, cuanto más se asemeje a un hombre, mejor será. Si esta sensación de pureza que me da el cielo, y esta sensación de espontaneidad que me da el niño, y esta sensación de alma que me da el hombre, las encuentro también en el libro, diré que el libro es bueno; pero si no las encuentro, si me son enturbiadas por las terribles filas de letras de molde, o si llego a olvidarlas y el libro me deja descontento de la vida y agitándome en el vacío de su negación, entonces diré que el libro es malo. Ya tengo criterio nuevo.

¡Qué felicidad si este criterio llegara a penetrar también en todos los que hacen libros! Penetraría en ellos seguramente si quisieran hacer lo que he dicho: limpiar su mesa, que es como librarse de vanidad y de propósitos artificiosos, levantar su frente con inocencia a la luz del cielo y abrir sus sentidos despreocupados a las formas de la vida; y penetrarse de todo ello hasta que ello quisiera expresarse ingenuamente y de un modo personal; y si la necesidad personal de expresión no se manifestara, no empeñarse en ella. ¡Cuesta tan poco no escribir un libro! ¡Pueden hacerse, en vez de él, tantas cosas provechosas para uno mismo y para los demás! El primer provecho para sí consiste en dejar de hacer una cosa insincera, en salvar el alma de esta mancha; el provecho para los demás consiste en evitar peso y confusión a los espíritus.

¡Oh, si solo salieran los libros buenos, las voces intensificadoras de vida, qué aligerados quedarían los estantes de las librerías y los espíritus de los hombres, alzándose continuamente hacia la luz! ¡Oh, si además de los libros buenos solo salieran los libros fuertemente malos, voces enfermas y descompasadas de la vida, qué ligeros quedarían todavía los estantes y los espíritus, que por reacción podrían tomar más alto vuelo! El peso terrible, abrumador, rebajador de la vida y mortal para los espíritus es el de los libros mediocres, insignificantes, impersonales: el incontrastable alud de los libros ñoños, hijos de la vanidad o de una profesión monstruosa.

Estos son los mayores enemigos del espíritu humano, y a causa de ellos he contraído ese afán de limpiar mi mesa: que, si ellos no fuesen, menos diligencia necesitara en esta acción liberadora, y no sería mi odio tan ciego contra todo montón de papel impreso y encuadernado.

Pero hoy que estoy libre de ellos, puedo complacerme en el pensamiento del libro ideal que ha de venir, el primero del año en mi mesa, puro, espontáneo, vibrante de intensidad de vida. Me parece verlo llegar ya, y hasta imagino su envoltura: creo leerlo, y siento algo como la impresión de sus palabras. Estoy encantado.

¡Ay del primer volumen material que venga a romper el encanto! Sí, bueno, muy bueno ha de ser para que no lo arroje por la ventana, para que los niños que juegan lo favorezcan convirtiéndolo en pajaritas y barquichuelos; si es malo, mucho lo debe ser para que no lo lance, rasgadas sus hojas, al capricho del vendaval purificador; si es fino, por poco que lo sea, lo dejaré caer aplomado en la calle, para que el hombre que pica piedra lo incorpore al firme del pavimento; y así ese ejemplar será el mejor empleado de toda la edición...

PARTE II
LA CUESTIÓN SOCIAL

¡Viva España!

Ahora seremos nosotros los primeros en gritarlo a todo aquel que se acerque: así le pediremos el santo y seña. No como en tiempos pasados, que muchos nos lo querían hacer gritar para provocarnos escarnio, por la manera en que ellos nos lo querían oír decir. Ahora podemos enseñar lo que clamamos: porque «viva España» ya no es un grito trágico, ya no es un eco del vacío, ya no es el símbolo de las políticas funestas, sino que nuestro «viva España» significa que la España viva, —¿comprendéis — que los pueblos se alcen y se muevan, que hablen, que se valgan por sí mismos, se gobiernen y puedan gobernar. España ya no es un lugar común de patrioterismo encubridor de todo tipo de debilidades y concupiscencias, sino que España es eso que se mueve y levanta y habla y planta cara a los que hasta ahora han vivido de su muerte aparente.

Ahora ya sabemos gritar «viva España»; no necesitamos a nadie que nos lo enseñe, sino que nosotros podemos enseñarlo, y ya hay quienes empiezan a aprender a gritarlo como nosotros: ya sea en Valencia, ya sea en Aragón, en Basconia, o en Andalucía donde se alcen voces respondiendo a la nuestra. Y pronto seremos más los que sabremos gritarlo así que los que nos lo querían hacer gritar de otra manera, y cuando nosotros seamos más, los que no hayan podido aprender a nuestro modo serán los menos, entonces, los separatistas serán ellos. Y nosotros seremos quienes, provocándoles, diremos: —¡Viva España! Señor ministro, ¿a ver si lo sabe decir? ¡Viva España! Vosotros, los de los partidos, soldados de a pie: ¡Viva España!; y, Generales, ¡Viva España!

Y esto no penséis que va contra nadie más que contra aquellos que quieren que esto les vaya en contra. Porque en este «viva España» cabe todo el mundo que ama a España en espíritu y verdaderamente. Los únicos que no caben son los que no quieren caber, los enemigos de la España real. ¿Españoles? ¡Sí! ¡Más que vosotros! ¡Viva España! Pero, ¿cómo ha de vivir España? No arrastrándose por las callejuelas provinciales del caciquismo; no agarrotada, como hasta ahora, en los vínculos de un uniformismo que es contrario a su naturaleza; no en el vacío de sentido de los partidos viejos ni en el aire corrompido de un centralismo cerrado a toda penetración del aura popular... sino que tiene que vivir los cuatro vientos de los mares que la rodean, debe vivir en la libertad de sus pueblos, cada uno libre en sí, sacando del terruño propio el alma propia, y del alma propia el gobierno propio, para rehacer todos juntos una España viva, gobernándose libremente por ella misma. Así tiene que vivir España. ¡Viva España!

Por tanto, ya sabéis lo que ahora os vendrá a pedir la Solidaridad catalana: la libertad de los pueblos españoles, la vida nueva de España: ¡la vida! Eso está tan claro que todos los pueblos lo entenderán y lo querrán enseguida, y no será sola Cataluña, sino todo el que quiera vivir en solidaridad, ya sean de Castilla, de Navarra, de Galicia, o de todo el territorio; la solidaridad de la vida frente a la solidaridad de la muerte; la solidaridad española contra la falsificación de España. Ya sabéis ahora lo que vendrán a pediros: solo os dejaremos discutir el cómo y el cuándo.

¿Y qué haréis? ¿Concitar al ejército contra nosotros, contra España? ¡Viva España! ¿Qué ejército español encontraréis en contra de este grito? ¿A quién alzaréis contra nosotros? ¿Al pueblo de los trabajadores? ¡Si ellos son las vivas entrañas de esta España nuestra! Ellos la mueven. Y un día marcharán contra su óbice.

¿Tenéis, acaso, alguna juventud para oponeros en nombre de algún otro ideal nuevo? No, la juventud, que es la esperanza, la juventud misma que habéis criado en su atmósfera, no se ha dejado contaminar por su viejo prejuicio. Nos ha abierto los brazos acogiendo generosamente nuestro ideal, y su amor nunca le será lo bastante bien pagado. Esta juventud es ya también hermana nuestra.

Si no tenéis el entusiasmo de la juventud, si no tenéis el clamor popular, si no tenéis la nobleza de la espada, si os faltan las virtudes cardinales de todo empuje nacional, ¿entonces qué tenéis? ¿Qué queda entre vosotros?

Mas, vosotros mismos, ¿quiénes sois que yo no os veo? Ya ni sé a quién hablo; y no creo que ante mí, que contra mi, pueda haber nada más que sombra y mentira...

— ¡Viva España!

El alzamiento

Ven a verlo —me ha dicho mi amigo— es algo que nunca se ha visto ni quizás se volverá a ver más. La gente, formando grandes filas, va de pueblo en pueblo; los del campo acuden con las mujeres y los hijos; los de los lugares remotos de montaña lo oyen decir y también quieren su parte: todos quieren la palabra redentora, y los que tienen el don de hacerla vibrar con viveza, van de pueblo en pueblo donde se los espera como a los que obran milagros, recibidos como triunfadores, escuchados como apóstoles y convirtiendo a multitudes enteras, lo mismo que hacían los taumaturgos en la Edad Media.

Las pasiones políticas han sido ahogadas como si nada bajo esta riada patriótica. Este hecho, que es lo que mayormente ha escandalizado a los fariseos de partido o de conveniencia, es el signo sagrado de esta causa, es lo que la dota de grandeza. Llega el duque de Solferino, el mayor carlista de Cataluña, ¿y quién le espera en la estación? Trescientos republicanos que lo aclaman. ¿Y a dónde va en primer lugar? Al centro republicano invadido por cientos de carlistas. ¿Y desde dónde pontifica el pontífice republicano, este viejo llameante de la nueva idea, el castellano glorioso? Desde el balcón del Círculo catalanista rodeado de carlistas, y las voces aclamadoras se funden en un solo estallido al toque de fuego de su palabra. Ahora sí ha encontrado su república este gran soñador, la verdadera, en donde están todos. Y este buen campesino de Raventós, ¿qué nuevo injerto ha encontrado que desde los alrededores le salen al encuentro, y convierte todo en planta fecunda? Este injertador de cepas se nos ha vuelto un injertador de hombres, con el rústico verbo catalán que con admirable sencillez anuncia. Y verás la elegante gente de ciudad, de vida hasta ahora refinadamente ociosa, alzarse transformada entre agricultores y pastores, maravillada de su propia elocuencia, revelada de nuevo a sí misma como hermana de las multitudes, emborronadas con el aliento de una elocuencia impensada.

Deberías haber visto al principio a esta gente del campo, desconfiados por naturaleza, avaros de sentimiento por la dureza de su lucha por la vida con la tierra, entrar en el recinto de la oratoria mirando de reojo y con una fría sonrisa en los labios. Pero poco a poco la palabra penetraba en ellos, y las caras se les iban transformando, perdían el color; el sentimiento de patria, tan adentro de su corazón, y por ello, tan puro y tan fuerte, comenzaba a invadir sus entrañas, y temblaban, se les iluminaban los ojos y... ¡Oh, milagro! Al fin lloraban. ¡Lloraban!

Yo los he visto llorar... ¡Venid a verlo! ¡Solidaridad! Esta palabra inventada Dios sabe cómo y después tan arrastrada por los diarios y tan mal dicha por los que no sabían o no querían entenderla, ahora ha tomado su verdadero sentido al ponerla en contacto con el pueblo que llevaba el secreto en el alma. Y cuando una palabra toma su verdadero sentido, el popular, cuando se vuelve viva, entonces es cuando obra la potencia creadora del verbo, el fiel divino, y no hay potencia humana que lo detenga.

Supongamos que un candidato centralista haya dicho: si no gano por los votos, ganaré por los máuseres. ¡Ay! ¡Desgraciado! ¿Qué palabra que un pueblo haya hecho santa ha sido nunca parada por máuseres? Las armas agujerean paredes, agujerean hombres, matan hombres; ¿pero dónde has visto que una bala de fusil mate una palabra? Al contrario, las palabras viven de esto, crecen, la sangre vertida da una realidad, ¡que pobre de aquel que se encuentre delante de una palabra ensangrentada! ¡Maldito aquel que tiene tan muerto el entendimiento que necesita sangre pera entender una palabra!

Solidaridad es la tierra, ¿escucháis? Es la tierra que se levanta en sus hombres. No has oído nunca decir aquello de: — «Si tal cosa sucediera, hasta las piedras se alzarían?» —Pues ahora estamos en esto: que las piedras se levantan; que cada hombre es un pedazo de la tierra nativa con cara y ojos y espíritu y brazos; y la tierra no es carlista, ni republicana, ni monárquica, sino que es ella misma, que llama, que quiere su espíritu propio pera regirse; y llama a todos sus hijos, republicanos, monárquicos, revolucionarios, conservadores, campesinos, ciudadanos, blancos y negros, ricos y pobres. Y mientras dure el grito de la tierra no hay pobres, ni ricos, ni ciudades, ni masías, ni partidos, ni nada más acerca de ella que un gran afán de acallarla, y satisfacerla, porque solo cuando ella esté en paz podrá cada uno ser republicano, carlista, labrador, blanco o negro, pobre o rico, de una mejor manera que antes: de la única manera en que un hombre puede ser bien lo que sea: esto es, en conformidad con la naturaleza con que la tierra misma le ha dotado.

Siempre me acuerdo de lo que tantas veces me dijo don Juan Mañé: «El día en que Cataluña tuviera cuarenta diputados suyos en el Parlamento español, nadie más le haría la ley».

Entonces, ¡estaría contento al ver que aquellos cuarenta diputados son los que ahora vamos a buscar! Y si en aquellas elecciones memorables en las que por primera vez luchó y triunfó el catalanismo con cuatro o cinco diputados por Barcelona, en las que puso tanto empeño que en gran medida determinó el gran giro de nuestra burguesía, ¿qué no haría ahora al sentir el inmenso ímpetu de Cataluña, y al ver en carne y hueso a aquellos cuarenta diputados de los que él hablaba como de un bello sueño? Porque, claro que él no podía pensar que los cuarenta diputados fueran de su partido, ni de un solo partido, sino que entendía que cada uno de estos diputados tendría su especial forma de pensar, pero que su lazo de unión sería el amor y la fidelidad a la tierra.

¿Qué otra cosa sino esto es la Solidaridad? Si no viniera la carencia de sentido moral de los de fuera o la desnaturalización de algunos de dentro a querer hacer falsa la representación de Cataluña en las Cortes, no serían necesarios este atrevimiento, esta organización, estos contubernios que tanto escandalizan a los que en toda su vida política no han hecho ni hacen otra cosa que pactar con el demonio si les conviene, y no por un fin santo como es el nuestro.

Si no fuera eso, solo habría que encomendar a cada partido que eligiera un candidato suyo, pero bien catalán de naturaleza o de corazón, e ir a la suerte de quien ganara, teniendo la seguridad de que siempre ganaría Cataluña. Pero ahora eso no puede ser: los partidos catalanes divididos en la lucha de ideas políticas serían vencidos fácilmente por la corrupción forastera compacta en manos de los caciques. He aquí la necesidad de la unión, de la avenencia, del entendimiento, del contubernio. ¡Santo contubernio el de todos los amores de una tierra! ¡Sagrada unión la de todos los hijos de una madre! Solo de estas uniones salen las grandes hazañas históricas, las fuertes afirmaciones nacionales, las guerras de independencia o reconquista más gloriosas, las cruzadas de todo tipo y, sobre todo, las resurrecciones de los pueblos. Y triste del hijo de madre que no plante semillas de su credo. No es un montón, señor Maura, con la compañía. ¿Qué no lo ve? Es un alzamiento.

Conversación bilingüe

—Bastantes lenguas hay ya, lo mejor sería que no hubiera más que una, porque así nos entenderíamos todos.

Así me defendía un buen señor que él y su familia hablaran siempre en castellano, por casa, pese a ser catalanes, como se puede ver por la muestra de su habla, y por el acento (si ustedes lo hubieran podido escuchar).

Yo respondí que me conformaría si todo el mundo hablara una sola lengua, mientras fuera la catalana. Pero la hija de aquel señor me refutó victoriosamente: —¡Ay! ¿Qué quiere usted que le diga? Yo encuentro que es una lengua muy ordinaria.

Me quedé aturdido un buen rato. Tras reponerme un poco, insinué temerosamente que las lenguas eran altas o bajas, pobres o ricas, finas o gruesas, según quien las hablaba: que una lengua no era algo que tuviera sustancia o calidad de por sí, sino que era un modo de expresarse de la gente, y que no era la lengua la que hacía a la gente, sino la gente la que hacía a la lengua.

— Usted con esta boquita tan bonita, con esta vocecita tan musical —añadía yo, sintiéndome paulatinamente más animado y adulador— con ese espíritu tan refinado, hable la lengua que hable, siempre que sea hablada por usted, resultará la más bella de todas. Así que ya ve, de usted, y de tantas —no diré como usted, pero que procuran parecerse— depende mucho que la lengua catalana llegue a ser la más fina del mundo. Y si ustedes son catalanes, cosa que no pueden negar, incluso hablando en castellano, qué misión más bonita para ustedes que la de ennoblecer con su natural distinción y su cultura la lengua propia, la que corre por la sangre de las venas, en lugar de estropear tanta gracia y exquisitez en un esfuerzo de imitación casi siempre desgraciado y estéril.

La lengua imitada, créanme, no gana nada; ustedes pierden aquella santa espontaneidad que es la flor de todas las acciones humanas, y la pobre lengua catalana queda, ya ve... tan ordinaria. Hacemos lo que podemos con nuestro natural amor de hijos, aumentado por resarcirla del de aquellos que de ella reniegan; la cultivamos lo mejor que sabemos, hablándola y escribiendola; nos deleitamos reconociendo su belleza y su riqueza en boca del pueblo, que bajo una grosería meramente superficial la guarda con una vivacidad que es la gran promesa del porvenir; la sentimos también deliciosa en la música de las canciones que cantan las chicas de montaña, y en el canto con que la hablan las chicas de la marina, herederas de las gracias griegas; nos alegramos de encontrarla, al cabo de cuatrocientos años de estar literalmente arrinconada, no solo en uso vivo de habla en todos los estamentos, lo cual señala la fuerza de sus raíces, sino con un rebrote literario que enamora y puede dar envidia a muchos otros pueblos... pero, no importa, todavía nos faltan ustedes en la moderna apoteosis catalana, ustedes, las señoritas del Sagrado Corazón de Sarrià... Ya sé que hay gente hosca que dice que no, que ustedes no hacen ninguna falta en nuestro renacimiento, porque la clase de finura que puedan llevar es tan superficial como la grosería del bajo pueblo y más peligrosa para lo convencional; mas yo no lo creo: yo tengo fe en que nuestra lengua sirva a la virtud, que así como brota pura de la corteza grosera del bajo hablar, al que viene y hace caer muerto a sus pies con el solo impulso de su vida ascendente, así también podrá resistir impunemente la clase de finura que ustedes pueden llevarle, y la asimilará volviéndola verdadera nobleza...

Pero tampoco quisiera convencerla ahora a usted con estos razonamientos de modo que, como quien dice, a la fuerza de entendimiento, usted se pusiera a hablar catalán enseguida: ya veo que dice que no con la cabeza y me alegro, porque, por muy halagador que para mí personalmente resultase semejante triunfo, yo sé que la conversión no habría sido buena, yo sé que estas cosas tan íntimas, para sacar todo su natural fruto, solo pueden ser obra de la gracia, y que la gracia obra en cada uno según su estado y naturaleza. San Pablo, que era un hombre de acción, fue convertido por un rayo; San Agustín, que era un sabio, por un libro; pues usted, jovencita, espiritual, de un corazón que...

—¿Por quién? —Saltó ella con viveza. —¿Qué quiere que le diga?... ¿Qué sé yo? —Respondí un poco avergonzado.
—¿Por quién? ¿Por quién? —Insistía ella imperiosa, casi amenazadora.

Y otra jovencita que tenía al lado, aún más joven, casi una niña, y muy animosa, y también del Sagrado Corazón, empezó a reír, y reír, y reír con gran pasión; y adiós, conversación.

Rabassa morta

Cuando el dueño de una pieza de tierra no cultivada desea convertirla en viñedo, pero no quiere o no puede hacerlo por sí mismo, si lo cede a otra persona para que la plante de viña y la disfrute durante un determinado número de años, a cambio de una parte de la cosecha anual, el resultado es una rabassa morta. Se llama así porque la vida del pie de la cepa (rabassa) determina la existencia y duración del contrato de establecimiento: muertas las cepas que se plantaron a raíz del contrato (basta con que mueran dos terceras partes) se acaba el acuerdo, y el propietario y el cultivador quedan, como antes estaban, completamente desligados el uno del otro para irse a cultivar donde más les convenga.

Las excelencias de esa institución saltan a la vista: merced a ella cualquier pobre labriego se convierte en una especie de pequeño propietario sin necesitar más capital que su inteligencia y su trabajo. El propietario cobra de su tierra una renta proporcionada a los frutos que la misma produce, cosa bastante equitativa y que lo separa y desinteresa menos de la tierra y de la suerte de la comarca que un tanto alzado en metálico, sea el año próspero o calamitoso. Así se fomenta la agricultura: multiplicando el número de los que viven directamente de ella, y se mejora la situación económica con una más amplia participación en las riquezas naturales. Con todo ello no hay ni que decir cuánto salen beneficiando a las bases del actual orden social, el bienestar y, por tanto, la unión y prestigio de la familia, el respeto a la propiedad, la cordura y sensatez de los ciudadanos que tienen algo que perder.

Todos estos beneficios no son fantasmas de la imaginación, sino que se han estado dando en Cataluña y, muy principalmente, en la comarca del Penedés, donde la rabassa morta está muy generalizada. Tan palpables fueron sus excelencias y beneficios que, en el Código civil español, el establecimiento a primeras cepas ha sido adoptado como institución de derecho común para toda España, como invitando a las demás regiones españolas donde se cultiva la viña a servirse de un instrumento jurídico tan sencillo para obtener tamaños bienes económicos y sociales.

Efectivamente, la institución, tal y como la hemos expuesto en el primer párrafo, es muy sencilla, aunque no tanto como a primera vista parece. Hemos dicho que muerta la viña plantada, acababa el contrato. Pero, ¿cuándo se dará la viña por muerta? Todos los viticultores saben que una viña puede durar indefinidamente: con el procedimiento de los llamados colgats y capficats, de los sarmientos de una cepa vieja se hacen brotar nuevas plantas que si al principio se nutren y viven de la vida de la antigua, tienen después existencia independiente: de esta manera la renovación en la viña es constante y su duración indefinida. De modo que, cuando los propietarios de las tierras reclamaban a sus cultivadores por considerar que los pies de las cepas primitivas debían haber muerto ya, ellos les mostraban las viñas llenas de vida y lozanía, jurando y perjurando que ni una sola planta nueva había traspasado los linderos del terreno para ser indebidamente incorporada a la antigua viña, y que por tanto el contrato continuaba vigente. En cierto modo tenían razón: la viña originaria no había muerto, puesto que las cepas nuevas eran meros retoños de las viejas.

Pero más razón tenían los dueños de las tierras invocando la temporalidad esencial del contrato y lo terminante de su misma denominación en aquel sentido: rabassa morta. Muertos los pies de las cepas primitivas, el contrato quedaba acabado sin que pudiera impedirlo el procedimiento de los colgats y los capficats. La jurisprudencia constante de los tribunales dio la razón a los propietarios, y como no dejaba de presentar dificultades el determinar en una viña cuáles eran los pies de cepa originarios y cuáles no, se estableció que a los cincuenta años debían considerarse muertas las primeras cepas, y que por tanto la duración máxima del contrato de rabassa morta era de cincuenta años.

Así lo había acordado ya la antigua Real Audiencia de Cataluña, asesorándose de personas peritas en la materia y, después, de un maduro estudio de la cuestión; así se resolvieron las cuestiones que fueron presentándose, y este mismo criterio adoptó después el Tribunal Supremo del Estado en repetidos fallos. Los artículos del Código Civil a que antes aludíamos establecen también que el máximo de duración de la rabassa morta es de cincuenta años.

Resuelto esto (legalmente al menos), llegaba el caso de que los propietarios recobrasen la posesión, el pleno dominio de sus fincas, pero ¿cómo conseguirlo? ¿Entablando un pleito ordinario, costoso e interminable? ¿O bastaba un simple deshaucio como si se tratara de un contrato de arrendamiento? Este último criterio fue el que triunfó, así es que hoy ante la ley, ante los tribunales, el establecimiento a rabassa morta tiene una situación relativamente clara y definida.

De todo esto que acabamos de explicar lo más llanamente posible, y de muchas cosas más tocantes a la rabassa morta, hizo un libro de mucho mérito y de grandísima utilidad el conocido abogado y autor de varias obras de derecho don Victoriano Santamaría. La primera edición de este libro apareció en 1878, cuando las discusiones entre propietarios y agricultores sobre los extremos que acabamos de apuntar estaban en el Penedés en uno de sus períodos agudos. Como al fin y al cabo se trataba de una cuestión legal, y las cuestiones legales pueden resolverse estudiando y argumentando, el libro del señor Santamaría en que esta cuestión se trataba muy a fondo, con extensión hasta entonces no concedida a aquella materia, y con especial conocimiento de causa, obtuvo grandísima aceptación, y la edición del mismo se agotó rápido, dando al autor la gloria de que su obra adquiriera valor doctrinal y de que algunas de sus opiniones, principalmente la de la aplicación del deshaucio, pasaran a ser doctrina legal por haberlas adoptado repetidamente el Tribunal Superior del Estado.

Hoy aparece la segunda edición del libro del señor Santamaría en medio de una agitación mayor en la comarca del Penedés. El libro es tan digno de estima como antes, incluso más, por la autoridad que ha ganado y por aportar mayor caudal científico y de experiencia en diversas cuestiones; pero la crisis del Penedés, tal como ahora se presenta, no es de las que se curan con libros.

Así como en una población invadida por una epidemia todas las enfermedades toman caracteres de la infección soberana y acaban por degenerar completamente en ella, la cuestión y la agitación referida, endémica del Penedés y amortiguada por el auge en que estuvieron los precios de aquellos vinos en años pasados, se presenta hoy con todos los caracteres de una verdadera cuestión social, agravada por la doble calamidad que sobre aquel país ha caído de la depreciación de vinos y de la invasión filoxérica.

No es ya la extinción de las rabassas lo que se discute, ni son únicamente los agricultores los que se unen para luchar, sino todos los colonos, aparceros, arrendatarios y menestrales contra los propietarios de las tierras; y no solo para las interpretaciones de sus contratos, sino para imponer condiciones nuevas, para hacer prevalecer su voluntad respecto a la distribución de los rendimientos de la tierra. Es, para decirlo en crudo, la lucha no ya del ochavo contra la peseta (pues en el Penedés no hay masa jornalera agrícola, quien más, quien menos, y con uno u otro carácter, tiene su pieza de tierra) sino del real contra la peseta, aunque es muy probable que a este paso dentro de poco no queden en la comarca ni pesetas, ni reales, ni ochavos.

Dicen en público que es una fracción política (una de las republicanas) la que ha fomentado esta agitación y ha organizado a los pobres payeses con miras político-electorales. Si esto es verdad, bien puede decirse que esos políticos no tienen vergüenza. Aprovechar la miseria de un país, la desesperación de los más débiles para sembrar el odio y la división entre los que debieran, más que nunca, estar unidos ante la calamidad común es una hazaña sumamente fácil, pero poco laudable. Y más teniendo en cuenta que hasta ahora no se sabe que en España haya ningún partido republicano que lleve escrito en su bandera una nueva organización de la propiedad o de las fuerzas económicas. Si así fuera, valdría la pena que ostentaran públicamente su programa para que la gente supiera a qué atenerse. Pero si no es así, si con el exclusivo fin de sacar triunfante un diputado más han murmurado al oído de los atribulados agricultores del Penedés un programa socialista que no pueden confesar en voz alta ni siquiera ante sus propios correligionarios, entonces verdaderamente han tomado en el drama social un papel que a buen seguro ningún otro partido ha de enviarles.

En tanto, los vastos campos del Penedés filoxerados van quedando yermos. Los propietarios arruinados desmayan ante la animadversión de los cultivadores y desisten de ensayar nuevas plantaciones, pues no encuentran quien labore sus tierras, o si intentan hacer ensayos por su propia cuenta son objeto de amenazas y coacciones, y cualquier mañana encuentran los tallos arrancados y con las raíces al aire, o cualquier noche han de contemplar el incendio de sus arbolados sin que alma viviente acuda a auxiliarles a extinguirlo; y los cultivadores vagan por la comarca en inusitados grupos que lleva una ráfaga de rencor, o permanecen tercamente inactivos encerrados en sus pobres chozas, cada vez más pobres, alimentando solitariamente el odio.

Así está el país de la rabassa morta, y estas dos palabras que significaron una institución benéfica que cubría los campos de verdor y de actividad, y ponía el pan en abundancia sobre la mesa de todos, hoy pronunciadas en aquel ambiente de miserias y de rencores parecen un nombre fatídico y suenan de una manera siniestra: ¡rabassa morta!

Para los amos y para los trabajadores

Se ha dicho muchas veces, y con razón, que la llamada cuestión social era, en el fondo, una cuestión religiosa, y por esto la Iglesia ha podido, por boca del Papa, hacer oír su voz eficazmente en el apasionado debate.

Así también no solo el Papa sino todos los ministros cuya misión es llevar la palabra de Dios a los hombres, tienen en dicha cuestión lugar indicado, y cuando el que habla ha llegado a tanta elevación y es tan hombre de su tiempo como el señor Obispo de Vich, doctor Torras y Bages, entonces sus dictados merecen especial atención, no solo de los fieles de su diócesis a que se dirige, sino de cuantos anhelan ver la cuestión social encaminada por caminos de amor.

Y este es el espíritu de su última carta a los patronos y obreros de su jurisdicción sobre el «Equilibrio en la jerarquía industrial». ¡Qué bien sabe en ella contraponer el sentido vivo de las cosas con los huecos sofismas de espíritus simplemente soberbios o agriados! La diversidad de condiciones y clases sociales —dice— no proviene de un convenio, ni de un acto despótico; no son obra de la voluntad ni de la fuerza; sino que lo son de la espontaneidad de la vida: han nacido de las circunstancias de la existencia social, de las diversas aptitudes de los hombres, de sus inclinaciones, virtudes o vicios; son obra de la naturaleza. No las ha inventado un filósofo o un político. Lo que sí han inventado los filósofos y los políticos ha sido el molde estrecho, artificial del socialismo. Estos quieren formar una sociedad a su antojo, como si los hombres fuesen materia bruta sin inteligencia, sin voluntad, sin autonomía, materia completamente inerte en mano de soñadores que la mayor parte de las veces no son tan soñadores como quieren aparentar, sino gente muy despierta para su soberbia o su particular interés.

El querer cambiar de esta manera mecánica y de un solo golpe el modo de ser social ha sido propio de todos los déspotas que ha habido en el mundo. Cuando un arquitecto quiere reformar el estilo y distribución de un edificio, debe empezar por respetar las leyes fundamentales de su equilibrio; pero querer poner el tejado por cimiento y la base por cúspide es, muchas veces, no una locura sino un hipócrita espíritu de destrucción total e infecundo.

La familia es una institución natural, instintiva en el hombre; el sentimiento de familia engendra el sentimiento de la propiedad; de modo que, si la propiedad es un robo, todos los padres de familia que fundan y mantienen un hogar encendido para sus hijuelos son unos grandísimos ladrones. Para garantizar la existencia de la familia y la propiedad contra la fuerza del odio y la rebeldía, se necesita una autoridad social. Discutir sobre el modo de ser y la organización de la autoridad, la propiedad y la familia es loable y hasta necesario para la natural evolución humana. Pero los que directa o solapadamente procuran la destrucción de estas instituciones fundamentales son enemigos de la humanidad y de su progreso; son espíritus de ruina o simplemente gente ambiciosa, que lo que quieren, en definitiva, es usufructuar el antiguo orden social en provecho propio, valiéndose para ello del halago engañoso a las crédulas masas proletarias, para las que son incapaces de hacer el menor sacrificio. Pregunten, si no, a cada uno de ellos, qué tiene sacrificado en bien de ese pueblo, del que se están haciendo amos.

La autoridad, la propiedad y la familia son las bases de la sociedad humana; y por esto la Religión cristiana, que es naturalmente social, condena todo ataque a la esencia de ellas; y por consiguiente la Iglesia católica condena el socialismo, que es su enemigo. «Hay que decir en voz muy alta —añade aquí textualmente el Obispo de Vich— para que el pueblo cristiano no quede engañado, pues hasta mucha gente de letras se ha ilusionado sobre este particular, que es imposible ser socialista y cristiano; que el cristianismo y el socialismo son como la luz y las tinieblas, como el agua y el fuego... y hablamos este lenguaje tan explícito porque nuestro ministerio es decir la verdad al mundo a pesar de todas las modas, de todas las pre ocupaciones y de todas las prevenciones; y vemos que hoy, sin duda, a causa de la frivolidad imperante, un diletantismo especulativo permite a poca costa, aun a gente adinerada que no tienen ciertamente propensión a hacer voto de pobreza, afectar, sin embargo, ideas socialistas, tomando la exposición y defensa de tales sistemas como una especie de sport que proporciona a su espíritu refinado la satisfacción y el deleite del aplauso».

Después de este magistral cop de crossa, cuya señal quedará seguramente indeleble en muchas delicadas espaldas, entra el señor Obispo en la parte positiva de su exhortación:

«La envidia irracional ante el bienestar de los demás inspira rencor y prurito de destruirlo: la reflexión serena inspira el deseo de participar de él sin faltar a la justicia». En el segundo término de esta luminosa distinción del Obispo encontramos el verdadero fondo de la honrada masa trabajadora catalana, que políticos ciegos o malvados dejan cuando no mandan pervertir con predicaciones funestas. La inclinación a la familia y a la propiedad es tradicional en el obrero catalán, y hasta es la base de la sociedad catalana, en cuyas más altas esferas se encuentra el obrero a poco que se ahonde en su generación o ascendencia.

Pues bien, este movimiento de libre ascensión es el que quiere amparar y fomentar la Iglesia frente a la esclavitud del socialismo, cuyo poder ideal querría gobernarlo todo imponiendo igualdades absurdas y privando el libre esparcimiento de toda superioridad natural. Así, pues, dentro del orden natural de las cosas, lo que hay que determinar es la manera en que el obrero realizará mejor su prosperidad individual y familiar, y cómo se resolverán los conflictos que en esta evolución suya se presenten.

He aquí cómo se expresa el Obispo sobre este punto: «Es esta una cuestión de equilibrio —dice— y por consiguiente cada caso tendrá su resolución según las circunstancias... La industria importa una especie de sociedad o compañía, y por tanto han de mediar pactos entre los que la forman». Los obreros pueden afirmar su personalidad asociándose entre sí, dándose prudente dirección, y un fondo o bienes que les permitan pactar dignamente con el capital.

Estos pactos deben ser la base del equilibrio y buena inteligencia entre amos y trabajadores. «La solución de las dificultades que surjan entre vosotros—les dice el Obispo—no os la dará la ciencia, ni la dictará ninguna ley, ni la resolverán los periódicos. Sobre esto más sabios sois vosotros que todos ellos juntos... Asistiéndoos de hombres de buena voluntad, y revistiéndoos del espíritu del Evangelio, sabréis entenderos... Amos y obreros sois partes de un mismo todo y os habéis de considerar como de una misma familia. Con discreción, prudencia y caridad, estableceréis costumbres, seréis los legisladores de vuestro propio estado, organizaréis la jerarquía industrial, y vuestras prácticas, vuestras costumbres, vuestros Usatjes serán el código de la sociedad manufacturera».

¡Qué hermoso sentido de la vida! ¡Qué espíritu de libertad individual productora de armonía social! ¡Qué conforme resulta este espíritu con el genio libre y práctico de nuestro pueblo! Si la centésima parte de la atención que este presta a la charla de embaucadores forasteros la prestara a las razones de amor, al lenguaje con que el Obispo de Vich le habla, a buen seguro que tocaría bien pronto de ello resultados más prácticos y mayor tranquilidad de espíritu que los que le dejan el nihilismo de los paros generales, y el estridente chasquido de los Mausers, despertados por aquellos cuya mayor habilidad consiste en saber desaparecer ante el conflicto donde son diezmados los más inocentes.

El trágico conflicto

Hacía tiempo que observábamos con interés el espíritu con que las provincias españolas de más allá del Ebro iban considerando nuestro movimiento catalanista, y aguardábamos encontrar una manifestación bien característica de su espíritu para definir la relación entre el mismo y la actualidad de dicho movimiento. La carta abierta que, el último abril, el publicista vallisoletano don César Silió dirigió por medio de la prensa al diputado por Barcelona, hoy presidente de la «Liga Regionalista», don Albert Rusinyol, y la contestación de este, publicada en el mes de junio, nos parecieron sintetizar claramente dicha relación. En el tiempo transcurrido desde entonces hemos meditado sobre el sentido de uno y otro documento, y, creyéndolos hoy tan actuales como hace dos meses, diremos la impresión que nos causaron; porque es deber de todo ciudadano aportar a las cuestiones generales del Estado su individual criterio en la medida de su razón y por el medio que mejor tenga en su mano.

Para juzgar bien cualquier manifestación actual de la idea regionalista, hay que tener muy presente el origen de esta en Cataluña. Del sentimiento secular y popular de diferenciación entre catalanes y castellanos despojados por el idioma, fecundados por un amor romántico a la historia de la individualidad catalana, nació a mediados del siglo XIX el catalanismo. No nació, pues, como idea política ni para Cataluña misma, ni mucho menos en relación con el Estado español: nació simplemente como un impulso sentimental que solo interesó a los sentimentales de aquel tiempo. Más adelante empezaron a interesarse en el movimiento algunos hombres reflexivos que, fijando la atención en movimientos análogos de otras regiones españolas, concibieron la idea regionalista como viable en la política general española, pensaron en una organización regional de todo el Estado español, y para esta nueva España regional entrevieron una Constitución política fluctuando entre la federación de antiguos reinos y aquella amplia descentralización administrativa tan sobada después, de palabra por supuesto, por los políticos madrileños o a la madrileña.

Pero, sea que en las demás regiones el impulso particularista fuera poco vivaz o poco congruente con el nuestro, sea que la naturaleza sentimental de este repugnara entonces toda aleación castellana, sea la influencia adormecedora de la política pequeña de los gobiernos de la Restauración (en cuyos albores nació la idea regionalista), lo cierto es que la España «Regional» no obtuvo sino lo que los franceses llaman un succes d'estime. El catalanismo, políticamente concretado desde 1892 en el programa autonomista de Manresa, con un principio de organización en la «Unió Catalanista» algunos años más tarde, y sobre todo importante por su potente florecimiento literario y artístico, fue atrayendo, merced principalmente a este último aspecto, a la mayoría de los espíritus cultivados y la masa de la juventud escolar de nuestra tierra.

Empezaba el catalanismo a trascender (por una ley casi física) de las clases cultas a todas las esferas sociales, cuando sobrevino el desastre colonial de España, el descrédito definitivo de los partidos gobernantes y de todos sus hombres, la desilusión nacional y, por natural reacción en las partes todavía vivas de la nación, un impulso de renuevo, un afán de rehacer España.

Entre las pocas fuerzas políticas vivas y vírgenes de acción general que se observaron en ella se encontraba el catalanismo, mirado por la masa de opinión reflexiva del resto de España como una llaga más a curar, a cauterizar, pero considerado, con gran clarividencia por algunos espíritus superiores de más allá del Ebro, como un precioso manantial de energía que, sin embargo, no acertaban el modo de utilizar para la renovación de España.

Realmente la situación así planteada en el Estado español fue de una seriedad y una trascendencia que no parece que hayan sido todavía bien comprendidas ni dignamente tratadas. Por una parte, la nación española se da cuenta, tras la tremenda caída, que debe reconstituirse o morir, volviendo para ello los ojos a todas las fuerzas vivas que le quedan, y encontrándose con que una de las más considerables y más adecuadas a la vida moderna en la que España necesita integrarse, Cataluña, se mueve en una Órbita excéntrica a la vida nacional española; ¿cómo atraerla y concentrarla? Por otra parte, el catalanismo, queriendo reflexivamente ser siempre español, dándose, por tanto, cuenta de su misión salvadora en España, pero sintiéndose arrastrado por su origen diferencial, y repelido por la política inconsciente o inhábil de los centros decrépitos todavía directores; ¿cómo anularlos y sustituirlos?

Si en el centro de España pudiera aparecer un poder moderador con serenidad y habilidad para educar y armonizar todas las fuerzas que queden en la nación e integrarlas en la España nueva, el catalanismo sería una de las más considerables y se convertiría en un poderosísimo elemento de reconstitución. Si, por otra parte, al caer la vieja España mortalmente herida por el desastre colonial, el catalanismo hubiera tenido su espíritu político suficientemente fuerte y educado para convertirse en redentor de los males pasados y en director de un renacimiento español, fácilmente hubieran acudido a él todas las energías que para ello quedaban en la nación, e incorporándosele, le hubieran dado la hegemonía de la España nueva. En uno y otro caso el problema quedaba resuelto. Lo primero se ha intentado repetidamente del lado de allá; lo segundo del lado de acá. Pero allí ha faltado buena voluntad o capacidad, aquí ha faltado educación política, y cada vez que los dos elementos han ensayado el contacto para concentrarse, se han repelido fatalmente, quedando sus órbitas incluso más divergentes quizás. Y, en tanto, la necesidad de la asimilación se hace sentir más urgente cada día para la vida de España. De ahí el afán, la angustia, en cuantos la aman con amor lúcido.

Este afán y esta angustia son los que se transparentan en las cartas cruzadas entre los señores Silió y Rusiñol, cuya meditación nos ha revelado la importancia de estos antecedentes.

La carta del señor Silió está sintetizada en estas palabras suyas:

«... Cataluña puede y debe, sin duda, aspirar a más: sálvense solos, si lo logran, los débiles, los caídos, las constituciones anémicas; el fuerte que contempla cómo se ahogan sus hermanos, más débiles que él, braceando inútilmente, y les abandona y se dirige sin ayudarles a la costa, es un egoísta. Cataluña no puede ser egoísta. Cataluña debe salvar con ella a España. Españolistas y no catalanistas se debieran llamar los que así obraran... Esta es la tierra adelantada; esta la casta laboriosa y tenaz, la empapada en el ambiente europeo. Pues bien; las castas superiores, las que atesoran inteligencia y energía, las más capacitadas para la acción, para crecer y prosperar, no han sido nunca castas exclusivistas que se conformen con restaurar la iglesia de su aldea. Tales castas precisan, porque no cabe en ellas, en el solar donde radican, la magnitud de su espíritu difundirse, extenderse, llenarlo todo de sus iniciativas, de su esperanza y de su fe. Cataluña es vaso muy pequeño para el grande, para el noble espíritu catalán. Tendrá que desbordarse una vez lleno, y contagiar, regar, fecundizar las otras regiones, la mía, la del páramo, la de la estepa solitaria. A desbordarse, pues, a romper pronto el traje, estrecho ya para espíritu tan amplio. A difundirse por España...»

Esta es la voz de lo que en España quiere vivir, llamando anhelosamente a sí, recriminando casi, el gran elemento de vida que presiente en el catalanismo.

La contestación del señor Rusiñol está sintetizada en este párrafo.

«Cataluña quiere entrar resueltamente en el terreno de la política para hacer sentir su influencia, pero para lograrlo ha comprendido que necesitaba en primer término afirmar su personalidad. Ante las corrientes turbias que ofuscan todas las cosas, intentamos volver a la pureza del manantial, a recobrar algo de lo que hemos perdido, restaurando la vida regional que fue la base de nuestro antiguo poderío».

Esta es la voz del catalanismo que ve una gran misión a cumplir, que desea reflexivamente cumplirla, pero que siente la necesidad de reforzar la individualidad propia antes de extenderla en una grandeza nueva que lleve su sello. Siente la necesidad de ser aún egoísta para poder ser después generoso...

Así nos encontramos como náufragos en alta mar: los más débiles se agarran al más fuerte para llegar con él a la tabla salvadora. —Soltadme— dice este; — dejadme libres los movimientos para que pueda alcanzar el firme apoyo y con él salvarnos todos. —Te salvarías solo— claman angustiosamente los otros; —si te soltamos, morimos en seguida. —Si no me soltáis; morimos todos.

Y así es como los náufragos van enfureciéndose mortalmente unos contra otros... Y este es el trágico conflicto.

El momento político

El momento político se acerca. En una sociedad bien organizada, todos los elementos sociales palpitan constantemente juntos, integrándola viva y sana; pero cada uno de ellos tiene su momento de dominio, en el que la acción de todos los demás queda subordinada a la suya, dentro siempre de la ley general de común solidaridad. Es como en el cuerpo humano vivo y normal: siempre trabaja el cerebro, siempre palpita el corazón, siempre digiere el estómago; pero hay momentos en que todo pende del trabajo cerebral, y otros momentos en que toda la vida parece estar en el corazón, y otros en que la digestión influye en el organismo entero. Así las sociedades tienen momentos esencialmente religiosos: cantos de Tedéum, las Semanas Santas; momentos industriales, una gran Exposición, por ejemplo; momentos militares, una guerra; momentos políticos, unas elecciones generales en sistemas representativos como el nuestro, y más cuando el sufragio es, como aquí, universal. Un momento político, pues, se nos acerca. ¿Qué digo? Aquí está ya.

Y así como en el cuerpo humano es signo o causa de enfermedad que la sangre no acuda al estómago en el acto de la digestión, o que los sentidos sean martirizados por agentes exteriores en un momento de intenso trabajo cerebral, o que el cerebro se desentienda de un gran esfuerzo muscular, así mismo es un mal síntoma social que en tiempo de elecciones, por ejemplo, se movilicen los ejércitos, y los industriales se encierren, con los obreros, en sus fábricas, y los poetas se obstinen en cantar a la noche estrellada.

Tampoco hay que entender que todos lo han de hacer todo: mal andaría el cuerpo en que el corazón se empeñara también en digerir, y el estómago en regir la circulación, y todos los músculos en pensar. Mal andaría la sociedad en que los militares se metieran a agentes electorales, los políticos a guardias civiles, y los artistas a diputados. No, cada uno ha de cooperar a cada cosa según él es y según ella sea; y aunque ni en nuestra vida social ni en nuestra naturaleza humana haya cartas cerradas, y un gran artista pueda ser un buen elector, y un buen industrial utilísimo miembro del comité del distrito, y un obrero excelente diputado, esto no quiere decir que no haya en la función política jerarquías cuyo reconocimiento por parte de cada uno en sí mismo, y de los demás para él, es la mejor garantía de la normalidad y eficacia de la acción respectiva, y, por consiguiente, de la bondad del conjunto.

Que el inteligente y experto actúe de director; que el elocuente actúe de propagandista; que el reflexivo aconseje; que el activo se lance a la acción más directa; que los hombres de su casa sean simplemente electores; que los que tengan prestigio y don para legislar sean elegidos; que cada cual actúe según es; pero que actúen todos. Esta es la cuestión.

Y es cuestión porque no todos sienten el deber de actuar, y muchos no aciertan en el modo adecuado; porque aquel reconocimiento de la propia y de la ajena jerarquía política de que antes he hablado, no es común ni es fácil; y menos en pueblos tan faltados todavía de sentido social y de educación política como el nuestro.

El amor propio nos ciega a menudo sobre nuestro valer, la ambición o la vanidad toman el lugar de la vocación bien sentida, o un egoísmo opuesto nos sugiere el convencimiento o la declaración de una cómoda inutilidad.

Esto en cuanto a nosotros mismos; y en cuanto a los demás, un espíritu de indisciplina, funesto a todo pueblo que quiera regirse por los sistemas políticos hoy dominantes, fomenta todo género de errores nacidos de pasiones personales generosas o malignas. Acatamos las decisiones de aquellos mismos que reconocemos como jefes políticos solo hasta allá donde no contrarían nuestros intereses o nuestras afecciones particulares; y ellos mismos, los jefes, al designar las tareas y los hombres, yerran muchas veces a merced de simpatías o antipatías extrapolíticas, o de genialidades que les quitan una serenidad que tan necesaria es a todos, o de un afán de momentánea victoria que les priva del sentido de las proporciones de las cosas y de los hombres.

Y de los errores de unos y otros nace la mutua desconfianza, las inculpaciones recíprocas, la confusión, en fin; y el éxito de la lucha depende muchas veces de lo que menos debiera depender: no hablo de malas artes, porque mucho hemos avanzado en desterrarlas de entre nosotros, gracias a nobles y asiduos esfuerzos todavía no bien ponderados y nunca bastante agradecidos: hablo del prestigio o del desprestigio inconsiderado de un nombre en relación a cosas muy ajenas a su capacidad política; hablo de la fortuna en soliviantar pasiones o en amodorrar actividades a última hora; hablo del azar de las estaciones o de que el día sea de sol o de lluvia.

Y esto último va especialmente con los electores. Si he dicho de los jefes y de los oficiales, ¿qué no diré de los soldados rasos? La pereza o la debilidad de conciencia disfrazadas de desdén privan de votar a la mayor parte de los electores. ¿Por qué afectar esos desdenes? Cuando un capítulo de la ley de presupuestos viene a aumentar la contribución, o un tratado de comercio a arruinar una industria, o una disposición ministerial a amenazar un archivo o un monumento, bien sabe cada uno poner su grito en el cielo. —¿Qué hacen nuestros diputados? —exclaman enfáticamente entonces el propietario, el industrial, el obrero, el literato o artista. Pero si ni siquiera habéis ido a votar, ¿por qué habláis de vuestro diputado? Y cuando un asunto particular mueve nuestro interés o perturba nuestra tranquilidad, bien buscamos el camino de la casa del diputado, y la recomendación y la cartita, y aquello de decirle: —En su mano lo pongo. —¿A qué, pues, ahora, estos desdenes? Pereza y debilidad de conciencia y nada más. El que se sienta bastante fuerte para nunca necesitar de nadie podrá, tal vez, mostrarse desdeñoso de sus derechos y deberes sociales, aunque si es fuerte será generoso de sí para con sus hermanos; pero no son los fuertes, no, los que suelen quedarse en casa el día de las elecciones.

Después hay otra excusa, otra canción: —Ninguna de las candidaturas me satisface. No hay la mía; pues, no voto. —Sino hay la tuya, tu culpa es. Si hubieras cumplido siempre tu deber de ciudadano, si hubieras hecho oír tu voz y ejercitado tu fuerza en los organismos de tu actividad, que de alguno formarás parte, tendrías tu candidatura; y aun ahora en que, no habiéndolo hecho así, te encuentras con solo estas en cuya formación no has intervenido, si consultas sinceramente tu conciencia, verás entre ellas tu candidatura, verás tu deber.

No son tantas como nuestras pasiones personales o nuestros pequeños intereses nos quieren dar a entender las corrientes políticas de un pueblo: en el fondo nunca hay más de dos grandes corrientes; y estas, por dormido que aquel esté, siempre salen a la superficie en dos nombres principalmente representativos, o en dos grupos de nombres. Así no digas, elector, que no sabes cuál votar; lo sabes; por encima de tu gran indolencia y de tus pequeños rencores, lo sabes.

Y nosotros los catalanes, los barceloneses, aquí, ahora, lo sabemos mucho mejor que en otros tiempos y que lo saben en otras partes. Aquí las dos corrientes son fuertes y claras; aquí todos sabemos lo que está vivo y lo que está muerto entre nosotros. Cataluña, Barcelona, que es su condensación, sienten una poderosa subida de savia de una varia raíz que tiene un solo nombre: la esperanza catalana. Esta fuerza ascendente, tiene su doble representación en estas elecciones, como la tuvo en las anteriores desde aquellas memorables que fueron como el despertar político de ella. El sentimiento de esta ascensión se ha inclinado alternativamente a uno u otro lado de su bifurcación, según haya sido la actividad y la congruencia de los respectivos elementos; pero en el fondo la savia sube vivaz, poderosa, encaminándose a un punto en el que su pujanza será bastante a arrastrar unido hacia lo alto todo el sentimiento colectivo. En aquellas elecciones habrá una sola candidatura catalana y será gloriosa.

Ahora hay dos todavía, y nada más que dos, en substancia; y todos sabemos cuál es la nuestra. En ella votamos por Cataluña, y ya hemos demostrado otras veces cómo este sentimiento basta a redimirnos de nuestro secular retraimiento político, de nuestro todavía rudimentario sentido social, de nuestra indisciplina, de los errores que hayan podido sufrir los de arriba, de los vicios que no hayamos logrado desarraigar aún los de abajo, y de la confusión y debilidad que pudiera resultar de todo ello, a no ser la virtualidad de aquel sentimiento santo. ¡Ay del que no lo tenga en | su pecho y no sea ahora movido por él! Porque, de este, bien podrá decirse que no vive en el presente palpitante, ni en el pasado glorioso, ni el porvenir más grande todavía de la nueva Cataluña que alborea.

El Zar

Meditemos sobre la muerte del Czar de Rusia. Un hombre, individuo de carne y hueso, dominando solo y con poder absoluto millones de leguas de territorio, más de cien millones de hombres sin Constitución política que limite su soberanía, sin otros personales o representativos que mitiguen su poder, sin más norma de gobierno que el criterio de su voluntad ni más ley que su capricho. Y, sin embargo, su capricho consistió en cumplir con su deber hasta el punto de sacrificar a este cumplimiento toda su fuerte salud y su vida todavía joven, deber que no le había impuesto nadie más que él a sí mismo, y el criterio de su voluntad no fue otro que su conciencia, y el límite y el regulador de su omnipotencia los encontró (y bien superiores, por cierto, a todos los Parlamentos y a todas las constituciones) en su religiosidad, en su gran amor de padre a los pueblos que regía, y en aquel otro amor más grande, por lo más vago, a todos los hombres.

Todas las naciones le han llorado como a un bienhechor, pero sus pueblos le han llorado como a un padre. Y esto a pesar de no haberlo escogido, como no se escogen nunca a los padres.

Este hecho nos hace meditar, sobre todo porque en nuestros tiempos, en los que se supone que el principio monárquico está en pura decadencia, es muy frecuente, por notable contraste, alabar concretamente en las personalidades de monarcas reinantes aptitudes y cualidades de gobierno privilegiadas que justifican singularmente su situación privilegiada.

¿Es que el principio hereditario resulta menos ciego de lo que racionalmente se cree, o es que la atmósfera de realeza y el prestigio de la historia engrandecen las almas de los soberanos y los hacen reyes, es decir, algo más que hombres del montón que naturalmente fueran? ¿O es todo pura casualidad?

Difícil se hace resolver esta disyuntiva... que quizá no es disyuntiva. Quizás la suerte de la herencia en una dinastía o esté tan desligada como a primera vista parece de la vida del pueblo por ella regida: quizás los monarcas gloriosos vienen a los pueblos de vida ascendente, como los monarcas degenerados vienen a naciones minadas por una decadencia de raza. Quizás la atmósfera del palacio en que el rey se forma no sea cosa esencialmente distinta de la atmósfera que el pueblo crea y lleva consigo en su ascenso o descenso de vida. Quizá la casualidad está solo en los aspectos superficiales de la naturaleza.

De todos modos, es muy frecuente encontrar en el monarca como un substracto y suprema expresión individual de su pueblo, no solo en los grandes rasgos característicos y permanentes de este, sino hasta en la fase transistoria de su evolución en un momento dado.

Y esto, que parece que debería suceder más en los gobiernos electivos, en las repúblicas, con respecto a sus primeros magistrados, a sus presidentes, sucede menos. Porque estos jefes de Estado son hijos de asambleas, del sufragio universal, que pretende representar la voz, el espíritu de la nación, y no es más que una representación meramente externa, superficial, artificiosa, que depende precariamente de circunstancias y contingencias capaces de falsear, que falsean casi siempre, la sinceridad de aquella voz y el verdadero fondo de aquel espíritu. La vox populi en las urnas y en las Camaras es una filosofía política al alcance de todas las inteligencias, por eso ha cundido mucho y por eso no vale nada.

Por esto apenas hay presidentes de repúblicas bien identificados con su pueblo, cuando hay muchos reyes identificados con el suyo; por esto aquellos casi siempre son presidentes de su partido, y los reyes casi nunca; por esto a un presidente lo que más se le pide, y lo que más se llega a aplaudirle y alabarle es la mediocridad, la insignificancia, es decir, que no representa nada, y por eso es el presidente ideal, mientras que al rey, al verdadero rey (no a las sombras de reyes), le conviene un pensamiento propio, una gran voluntad, cualidades de relieve, en fin, una personalidad intensa que contenga toda la vida de su pueblo y sea el genio del mismo en carne y hueso. Y este es el rey ideal: y este era Alejandro III. Por eso sus pueblos le han llorado como se llora algo propio y muy íntimo, y como nunca república alguna haya llorado a ningún presidente.

Más que a un presidente ideal, mediocre y correcto, lloran las naciones a un césar, a un dictador brutalmente improvisado por una revolución. ¿Por qué? Porque una revolución es algo más vivo y que va más hondo al pueblo que un mecanismo constitucional, y el césar, fruto espontáneo de ella, es carne y sangre del genio popular; y no lo es el presidente votado con mucho orden (esto es, con muchas cábalas) y muy legalmente, en la Cámara más perfecta y más sabiamente arreglada del mundo: Cromwell, Napoleón y hasta el mismísimo Rosas decían mucho más a sus súbditos que Garfield, Carnot o los doctores-presidentes de las Américas del Sur a sus conciudadanos.

¿Quiere esto decir que todas las naciones deban ser siempre gobernadas por Zares o por dictadores? ¡Oh! No, ciertamente.

El monarca hereditario no ha de ser sino la suprema expresión de una unidad fundamental de su pueblo; y esa unidad fundamental no la tienen siempre todos los pueblos: la mayor parte la logran en su período de madurez, de grandeza, no antes ni después; muchos la pierden en períodos de transición; algunos no la tienen nunca, o si la tienen es poco intensa, de poca significación en la historia. Y no se nos objete con el ejemplo de Grecia en la antigüedad, porque Grecia fue algo excelsamente excepcional que no se debe manosear como se acostumbra: hay profanación en hacerlo; no se nos objete en los tiempos modernos con el ejemplo de los Estados Unidos de América, porque la república norteamericana no ha legado todavía, y mucho le falta, a la madurez de su unidad y a la plenitud de su sentido; ni con el ejemplo de Suiza, que es un pueblo, aunque admirable, sin gran significación histórica.

La grandeza de las naciones viene siempre representada por grandes monarcas, de modo que el Estado monárquico es, al menos en la fase actual del espíritu humano, el tipo de sociedad política en su plenitud normal. Es, en una palabra, el ideal de Estado.

¿No aparece, quizás, como un tributo instintivo, involuntario, a este ideal, la honda impresión producida en todas partes por la muerte de Alejandro III, la admiración, la especie de veneración con que se ha considerado a este monarca, solo por haber sido un monarca en toda la extensión y la fuerza de la palabra, y a su pueblo, solo por ser un pueblo con carácter propio y de gran relieve, con profunda unidad encarnada en su soberano, es decir, un pueblo esencialmente monárquico?

Este tributo instintivo, involuntario, de admiración y de veneración, por parte de pueblos de temperamento tan diverso, y alguno de ellos (y no de los que menos se han emocionado) de sentimiento político actual completamente opuesto a la autocracia rusa, dicen más que todos los tratados de filosofía política y social. Porque los libros son libros, y las escuelas son escuelas; y esto son hechos vivos, que tienen significación y realidad por sí propios. Por esto cuando pasan debe atenderse a ellos y meditarlos porque contienen más enseñanzas, y más fecundas, que todas las bibliotecas del mundo.

Meditemos, meditemos sobre la muerte del Zar de Rusia.

La doctrina Monroe

Hace ya setenta y dos años, el 2 de diciembre de 1823, James Monroe, presidente de la república de los Estados Unidos, hizo en su mensaje presidencial la siguiente declaración:

«Como deber que nos imponen nuestra buena fe y las amistosas relaciones que existen entre los Estados Unidos y las potencias europeas, tenemos que declarar que toda tentativa, por parte de estas, para extender sus sistemas políticos a cualquier punto de nuestro hemisferio la consideramos peligrosa para nuestra tranquilidad y nuestra seguridad. En cuanto a las actuales colonias y dependencias de los estados europeos en América, no hemos intervenido ni intervendremos en sus asuntos, pero en cuanto a los países americanos que han proclamado su independencia, que la han sostenido, y a quienes nosotros la hemos reconocido, después de maduras reflexiones y en conformidad a los principios de justicia, cualquier intervención de un poder europeo para oprimirlas o para fiscalizar en modo alguno sus destinos, no podríamos menos que considerarla como una manifestación de hostilidad a los Estados Unidos... y nos sería imposible permanecer como espectadores indiferentes de tal intervención, produjérase en la forma en que se produjera».

Esta es, en sustancia, la llamada doctrina de Monroe. En su forma se reduce a la afirmación que un jefe de Estado hace ante sí mismo (y por tanto, sin fuerza de obligar a ningún otro Estado, ni siquiera al que él representa) de lo que en derecho internacional público se llama el principio de la no intervención. Pero en el fondo es algo más trascendental: es la afirmación de que el nombre América deja de ser una mera expresión geográfica y pasa a significar una verdadera entidad histórica que acaba de nacer con la emancipación de la mayor parte de las colonias españolas, cuyo primer vagido es la declaración misma.

La opinión y los gobiernos europeos han parecido desconocer, o han creído conveniente aparentar que desconocían, este fondo, que es lo verdaderamente serio de la llamada doctrina Monroe, al criticar la aplicación que de la misma pretende hacer al conflicto anglo-venezolano el Gobierno de los Estados Unidos. Y realmente, fijándonos solo en la letra del párrafo antes transcrito, y en solo la exterioridad del conflicto actual entre Gran Bretaña y Venezuela, la aplicación no resulta razonable.

La frontera entre la Guayana inglesa y la república de Venezuela nunca ha estado clara ni perfectamente delimitada, sino que siempre ha dado lugar a discusiones. Pero estas discusiones se han vuelto más enconadas desde que en dichos terrenos fronterizos y de dudosa pertenencia se descubrieron riquísimas minas de oro. Este mayor encono ha originado, últimamente, el conflicto que ahora se debate, que fue que las tropas venezolanas hicieron prisionero un destacamento de policía de la Guayana inglesa que encontraron en uno de los terrenos fronterizos.

Inglaterra entabló, en seguida, una reclamación exigiendo de Venezuela 60,000 dólares como reparación del atropello, y que se le reconociera el derecho sobre los terrenos que desde hacía tiempo reivindicaba como suyos. Tal era la cuestión entre Inglaterra y Venezuela.

Por atentamente que se lea el párrafo de Monroe, nada se encuentra en su texto que haga prever que los Estados Unidos hayan de entrometerse para nada en una cuestión de fronteras como esta, en la que ninguna de las partes interesadas pretende aumentar ni disminuir su derecho, y sí tan solo determinar concretamente aquello que han creído siempre suyo. Y, sin embargo, en cuanto Inglaterra hubo entablado la reclamación antedicha, Mr. Olney, secretario del Estado norteamericano, dirigió al gabinete inglés una nota en la que, invocando la doctrina Monroe, protestaba contra lo que él llamaba engrandecimiento de la Guayana inglesa a expensas de Venezuela, y requería que la cuestión fuera sometida a arbitraje.

Planteado así el asunto sobre el texto de la doctrina Monroe, el Gabinete Salisbury contestó lo que era natural contestar: que nada tenía que ver el conflicto anglo-venezolano con la doctrina, y que los Estados Unidos no tenían título alguno para entrometerse en el asunto ni para imponer arbitrajes a nadie. Y a todo esto ha venido el presidente Cleveland diciendo en su mensaje que sí que tenia aplicación la zarandeada doctrina, y ha pedido al país un crédito para enviar a la frontera anglo-venezolana una comisión que determine las verdaderas pertenencias de uno y otro Estado, y ha declarado que, una vez hecho esto, los Estados Unidos se opondrán por todos los medios a que Inglaterra entre en posesión del territorio que la comisión haya señalado como perteneciente a Venezuela.

Esta especie de provocación ha alborotado a la diplomacia y a la prensa europea: se vuelve a leer el texto de Monroe, y se le niega autoridad, porque, lejos de ser un convenio internacional, no es más que una opinión de un presidente de una república, opinión no sancionada siquiera por un acuerdo del poder legislativo, y aun considerándolo como doctrina opinable de derecho internacional, se deletrea el tal texto para hacer ver cómo es inaplicable al caso en cuestión, y se le mira por arriba, y por abajo, y por los lados, y al trasluz, pero prescindiendo siempre de su alma, de lo que tiene de fuerza viva y verdadera bajo la vana fórmula doctrinaria.

Este fondo, esta fuerza fue la que hizo brotar la nota de Mr. Olney; en aquella fuerza y en aquel alma pensaba Lord Salisbury al contestarle; en la vitalidad también de la doctrina Monroe y no en su fórmula se apoyó Mr. Cleveland al lanzar su provocación a Inglaterra; y la diplomacia y la prensa afectan manosear la fórmula, cuando en realidad lo que les preocupa y les excita es lo que tiene dentro.

Hablando cada uno según su corazón, los Estados Unidos deberían haber dicho por boca de Mr. Olney a Inglaterra: «Los americanos nos sentimos todos animados de un solo espíritu desde James Monroe, y vamos sintiéndolo más cada día, a poco que profundicemos, en contra de la vieja Europa. Cualquier pretexto nos es bueno para afirmar y hacer valer esta solidaridad; y hoy que tú intentas imponerte a un pequeño Estado, te decimos que no te impondrás; porque, tenga ese Estado razón o no la tenga, nosotros se la damos en contra tuya solo porque es un Estado americano».

Y, a eso, Inglaterra hubiera debido contestar: «Aunque voy siendo algo vieja, demasiado sabes lo fuerte que me encuentro todavía para que te atrevas a provocarme en serio, y menos presintiendo, como debes presentir, que en querellas como la que me buscas tengo Europa a mis espaldas; una guerra semejante sería una enormidad que ni tú ni yo deseamos; así, pues, estoy segura de que me dejarás en paz arreglar las cosas a mi gusto con ese pequeño Estado, y que antes de arrostrar la responsabilidad y las consecuencias de una guerra monstruosa, lo pensarás dos veces».

Y entonces. Mr. Cleveland, en vez de redactar su mensaje, hablando en plata hubiera replicado, llevando la voz de los Estados Unidos: «Pues no lo pienso ni dos ni una: será lo que tú quieras; ambas naciones tememos la guerra, pero se saldrá con la suya la que más sepa disimular su miedo. A ti, que eres vieja y cauta, te cuadra mejor la prudencia y el volverte atrás ante el peligro; a mí, que soy joven e impetuosa, me sienta bien la audacia y la imprudencia. Por esto, sin necesidad de llegar a las manos, el triunfo será mio».

Y la opinión y la prensa europea, a manera de coro en la tragedia, diría: «La joven América va creciendo y afirmándose: ¿hasta cuándo se dejará pasar sin correctivo su juvenil petulancia? ¿Y qué sucederá el dia en que alguien se decida a corregirla? Cuidado, cuidado... Europa debe mostrarse digna, pero prudente. Europa y América... América y Europa... estas dos palabras suenan a fatalidad histórica..».

Así habrían hablado, y así hablan en el fondo de su corazón cuantos a estas horas, por inveterada costumbre o por miedo al sonido de su propia voz, se entretienen, cada cual a su manera y según el papel que desempeñan, en disecar el texto muerto de un mensaje que leyó hace setenta y dos años un presidente insignificante. Y ahí tienen explicado nuestros lectores el porqué estos últimos días se ha hablado tanto de la doctrina de Monroe.

Paraguay

Acontece muchas veces que el suceso más ordinario de la vida, la contemplación de una obra de más o menos valor artístico, la lectura de una página de libro de periódico, etc., le llevan a uno, por obra y gracia de la asociación de ideas, a consideraciones muy remotas del punto de partida y a cavilosidades enteramente desproporcionadas con el objeto que las ha sugerido.

Algo por el estilo acaba de sucedernos con la lectura de un libro que bajo el título de «Pinceladas históricas», y con ocasión del cuarto Centenario del descubrimiento de América, ha publicado D. R. Monner Sans sobre las misiones guaraníticas (1607-1800).

No es que el libro sea cosa tan pequeña ni las ideas que en nosotros ha removido de tal importancia que la comparación pueda ser ejemplo de las desproporciones a que hemos aludido; no. El libro es digno de su reputado autor y del acontecimiento que ha dado pie a su publicación. Pero el asunto tratado en él —el gobierno de los jesuitas en Paraguay— ha sido tantas veces expuesto bajo todos sus aspectos, y juzgado de tantas maneras, y debatido en tantas formas dignas e indignas; y tan olvidado ya de puro conocido, que al empezar la lectura de «Pinceladas históricas», creíamos de buena fe no ganarnos otras impresiones que la de la galanura de estilo de su autor y la de ver un resumen de cuanto sobre el particular conocíamos.

Y, sin embargo, cuántas ideas nos ha sugerido esa lectura y cómo nos ha hecho pensar en esos problemas perennemente planteados y nunca resueltos, en esas cuestiones siempre palpitantes, y que solo parecen calmarse y adormecerse a ciertos intervalos, para erguirse después de nuevo más absorbentes y avasalladoras que nunca, como dando testimonio de que han de durar tanto como la humanidad, ¡porque surgen de la esencia de la humanidad misma!

«Los PP.—transcribe el señor Monner de una obra publicada durante el gobierno de aquellas Misiones, —obligan a los indios a que hagan tres sementeras: una para sí y su familia, otra para el común del pueblo y otra para los gastos de las iglesias. La primera la recogen enteramente en sus casas para el sustento de sus familias. La segunda, que es más abundante, se deposita en trojes muy capaces para mantener los enfermos, huérfanos y viudas, y a los que, por estar ocupados en utilidad del pueblo, o por descuido y flojedad en el sembrar, no les alcanzan para todo el año sus cosechas. En fin, para socorrer a otros pueblos que por falta de agua o por común dolencia de sus habitadores, o por muerte de sus ganados, perecieran si no se les acudiera en un todo, sin más precio ni paga que el de la cristiana piedad. Y la tercera se emplea en ornamentos, cera, vino, músicos y ministriles de la Iglesia, en que entra también la cosecha necesaria para el misionero».

Y en una nota del libro del señor Monner se leen las siguientes frases, que son del señor Pi y Margall en su Historia general de América, y comentan el estado social de Perú antes de la conquista, estado social casi idéntico al establecido por los jesuitas en Paraguay:

«Esta rara organización de la propiedad había dado excelentes frutos. No había en el Perú mendigos. No afligía nunca el hambre a los pueblos. No dejaban en desamparo a las familias ni las levas, ni las enfermedades, ni la muerte. No enturbiaba, como aquí, el temor del día de mañana los goces ni las alegrías de los hombres».

De leer tales cosas a ponerse a pensar en la huelga de Carmaux, por ejemplo, no hay más que un paso; pero al choque de ideas tan afines entre sí, y al mismo tiempo tan remotas unas a otras, parece como si uno viera bambolearse doctrinas e instituciones que pasan por definitivamente sentadas, y son reputadas ya poco menos que indiscutibles, inviolables y sacrosantas: la libertad del trabajo, el sufragio universal, los derechos individuales, los Parlamentos, etc., y con ello casi todas las constituciones políticas modernas. Naturalmente nos preocupamos de tanto bamboleo, se resiste a que en su entendimiento se derrumbe tanto edificio, y se dice a sí mismo: —No; aquellas son otras razas, aquellos eran otros tiempos, aquellos fueron otros estados especialísimos por su historia o por circunstancias históricas accidentales; pues ¿no íbamos a caer en la tentación de generalizar, de sentar principios fantásticos y sacar consecuencias absurdas? No, no; no olvidemos que estamos a finales del siglo XIX y que no somos indios en el mal sentido de la palabra. Y después de habernos dicho esto nos quedamos, de momento, un poco más tranquilos.

Pero cuando el demonio de la duda se agarra a un cerebro fin de siècle no lo suelta así como así; tras haberle dejado, por burla, un poco de reposo, prosigue su devastador trabajo y dice: —¿Estáis bien seguro de que en la masa de todo pueblo no ha habido, no hay y no habrá siempre un indio en el sentido que tú quieras? ¿No es por ventura el pueblo (y al decir pueblo miro así a los soberbios palacios como a los ignorados terruños) el perpetuo salvaje, el perpetuo niño, el perpetuo incapacitado? registra la Historia. ¿No encuentras en su fondo algo inmóvil, algo duro, invariable, definitivo, eterno? Pues es el genio del pueblo, de todos los pueblos.

En rigor, todo el problema de la gobernación de los hombres y organización de las sociedades estriba en la siguiente disyuntiva: El fondo de la masa humana ¿es perfectible, ha progresado, progresará? Así como en los tiempos las naciones han necesitado jefes, sacerdotes, caudillos, reyes, dictadores, que han hecho arrancar su poder de superioridades, siempre positivas, aunque de índole muy diversa, y han conducido a aquellos pueblos a la realización de sus fines ¿ha llegado o puede llegar el tiempo en que las masas populares sean capaces de gobernarse y dirigirse por sí solas, sin admitir otras imposiciones ni superioridades que las que ellas mismas se den o se elijan, y esto a merced de mayorías numéricas cuya base es el reconocimiento de iguales derechos, de igual intensidad jurídica en cada uno de los ciudadanos, de arriba a abajo de la escala social? ¿o, por el contrario, el pueblo es el perpetuo incapacitado condenado a perpetua tutela, necesitado siempre de superioridades que se impongan por sí mismas, y que dispongan de la fuerza suficiente para conducirle a sus destinos hasta a pesar suyo síes menester? En una palabra, ¿quién debe ser rey del mundo, el autoritarismo o el liberalismo? La verdad es que desde el burgués que se representa el principio de autoridad como un hombre con un palo levantado, dispuesto a dejarlo caer sin más averiguaciones sobre aquel que se atreva a perturbar la digestión de los burgueses, hasta el huelguista que apalea a los compañeros que no tienen ganas de holgar como él, aquel ideal, o, mejor dicho, el instinto de gobierno de todo el mundo es el palo: en esto todos coinciden; lo único en que discrepan ese quién ha de empuñarlo, porque cada uno lo quiere para sí. Esto por lo que se refiere al sentido jurídico de la multitud indocta en cuyo seno deberían residir más o menos en bruto los grandes ideales d he dignidad humana, de igualdad política, de libertad y fraternidad universales, de amplia expansión que hiciera inútiles y abominables toda fuerza y toda violencia; de esa multitud de cuyas filas van saliéndolos electores y los jurados.

Y si de esos pasamos a las élites, a los que saben, a los que estudian y piensan, a los que brillan, a los que dirigen y gobiernan, no encontraremos sino escepticismos y descorazonamientos: juventudes estudiosas revenues de todos los ideales y de todos los entusiasmos políticos, sin más fe que su fe científica o su fe artística los que tienen alguna, sin otro afán que el del medro y el del goce material los demás. Y los hombres maduros, los hombres completos, los que de presente y directamente tienen las manos en el manubrio social, más devastados, más corrompidos que los otros, solo se preocupan de dar cierta apariencia de doctrina a sus orgullos, a sus ambiciones personales que se diferencian entre sí solo en ser más o menos desinteresados, más o menos pueriles.

Pues bien ¿dónde están las fuerzas, las energías que puedan oponerse al advenimiento de una especie de despotismo ilustrado que rija los modernos Estados por el estilo de como los jesuitas regían a los indios del Paraguay?¡Ah! es que la humanidad ha tenido un sueño muy hermoso, un sueño en que los hombres eran ángeles ya tierra un paraíso sin serpiente; y a pesar de la brutalidad de los hechos reales, a pesar de tantas desilusiones y desencantos, a pesar de tanta debilidad y abatimiento, el prestigio de aquel sueño dura aún en la memoria de la humanidad, y la humanidad, antes de dejarse caer de tan alto pedestal, duda y vacila.
La objeción fundamental dirigida a gobiernos como el de los jesuitas en el Paraguay es la de que cohíban la espontánea manifestación del genio especial de cada pueblo e imposibilitan su desarrollo, frustrando por tanto la misión que el mismo tiene que llenar en la evolución de los destinos humanos.

Antes de contestar a esta objeción hay que hacer una salvedad. Cuando el poder está en manos de una entidad con miras particulares completamente extrañas a la vocación y temperamento nacionales, y extrañas también a un fin humano universal (como sería, por ejemplo, una compañía comercial que dominara omnímodamente una porción de territorio habitado, con el fin de explotarlo mercantilmente) la objeción no puede ser más fundada.

Pero cuando la institución directora brota de las entrañas mismas de la nación, de sus necesidades históricas (como las monarquías españolas de la Reconquista); de sus aspiraciones conscientes o inconscientes a perfeccionarse, a elevarse en la vida universal (como ciertas dictaduras que con uno u otro nombre y más o menos veladas soportaron en realidad los antiguos griegos y los romanos); cuando la institución directora es el entronizamiento lógico del espíritu nacional en su estado consciente y luminoso; cuando la vocación del pueblo se encarna en una persona o en una clase que piensa y obra por él y le conduce, a la fuerza si hace falta, a donde él quiere ir, muchas veces sin darse cuenta de ello; entonces ¿qué objeción puede hacerse a tales gobiernos, ni qué limitación imponer teóricamente a su necesario autoritarismo? Discutirlos equivale a discutir la autoridad del padre que con su experiencia de la vida y el amor y conocimiento que tiene de sus hijos les impone su voluntad trazándoles el camino que han de seguir dentro de la esfera y carácter de la familia, camino que malamente podrían ellos elegir en su inocencia de infantes o en el atolondramiento de la juventud.

Una sola diferencia hay entre los niños y los pueblos: que, así como los niños llegan a hombres y acaban por gobernarse a sí mismos, los pueblos no alcanzan nunca su mayor edad, porque está en la naturaleza de las multitudes el juzgar siempre sin discernimiento y el obrar por puras impresiones.

En esto hay, naturalmente, su más y su menos; haya raza, el temperamento, el grado de civilización, y es claro que el poder social lo debe tener en cuenta. El pueblo inglés, verbigracia, no podría hoy ser tratado como lo eran los indios del Paraguay hace tres siglos.

Porque los guaraníes representaban verdaderamente la primera infancia de una sociedad; y así como al tierno infante hay que ponerle el alimento en la boca, vestirle y desnudarle, llevarle en brazos y enseñarle a dar su primer paso, así los jesuitas empezaron por infundir a aquel pueblo un ideal religioso, primer aliento de todas las naciones, le enseñaron a cultivar la tierra, a aprovecharse de las fuentes de riqueza que tenía a mano, a usar con parsimonia los frutos de su trabajo, y le mostraron los primeros rudimentos de la industria y del comercio. Para ello tuvieron que descender naturalmente a una reglamentación minuciosa que escandaliza a esos apóstoles de la dignidad humana, inventores de un hombre abstracto, de un tipo único, ente de derecho que lo mismo comprende a Aristóteles que al último zulú.

Se escandalizan de eso en nombre del moderno hombre-dios, y sin embargo... Pero oigamos al señor Monner Sans en los elocuentes párrafos de la obra que nos ha sugerido todas estas reflexiones: «Critican a la Compañía de Jesús porque paternalmente se preocupaba de la vida física y espiritual del indio, censurando el inquisitorial toque de la campana que reglamentaba las principales funciones de aquella pequeña sociedad, y no tienen reparo en conservar la campana en fábricas y talleres, en reemplazarla por humillantes listas de entrada en las oficinas, en sustituirla en fin por chillonas trompetas, convirtiendo las fábricas en escuelas de depravadas costumbres, los soldados en autómatas, los cuarteles en verdaderos corrales, y la vida del soldado, del marino, del minero, de todo aquel en fin que ha de sufrir la ley del más fuerte, en la anulación más completa de la personalidad humana».

Efectivamente poco se ha progresado en este punto y, lo que es más, poco se progresará: porque así como hay una ley física que quiere que una piedra echada en un río vaya fatalmente a quedar inmóvil en el fondo, lo cual no impide que la corriente siga su curso hacia el mar, hay otra ley no menos fatal que inmoviliza en el fondo del universal movimiento, sirviéndoles de lecho y cauce, razas humanas y clases sociales de cierta densidad moral o intelectual; y pretender que estas clases y estas razas avancen al compás de aquel movimiento es como empeñarse en que el cauce siga al río en su curso, y querer convertir las piedras en agua.

Entiéndase que hablamos aquí de razas y clases en cuanto, a masas, a multitudes, y que no negamos a cualquiera de sus individuos una superioridad personal que lo desprenda del agregado en que se halla y se eleve por encima de él a los más altos destinos; y entiéndase también que no pretendemos hacer aplicaciones absolutas y precisas en todo lugar y tiempo de los principios enunciados. No; bien conocemos la complejidad y la ocasionalidad de cuanto se refiere al complejo y variable problema de la vida, y no hemos de incurrir en las abstracciones que condenamos en ciertas escuelas. El libro del señor Monner nos va llevando a emitir conceptos político-sociales cuya determinación viviente en su unidad fundamental e invariable ha de ofrecer tantos aspectos y matices como pueblos y sociedades hay en el mundo.

Pero dicho libro se refiere a una población tan típica, por su inferioridad de raza y de civilización, que se presta especialmente a reflexiones sobre la diferenciación del pueblo y de su gobierno.

Y como si la historia quisiera darnos en las vicisitudes de Paraguay la confirmación de los principios que hemos sentado en todo su desarrollo, positiva y negativamente, ofrece a nuestra observación la deplorable suerte de aquellos indígenas después que las misiones los dejaron de su mano.

Aquellos guaraníes que las misiones encontraron en estado salvaje, indolentes, sin hábitos de trabajo ni ideal alguno de progreso; aquellos guaraníes que los jesuitas convirtieron en pueblo religioso, trabajador, sociable, creciente en número y riqueza, progresando en medio de su inocencia; aquella república cristiana que ha sido envidiada y alabada por tantos historiadores y filósofos protestantes o poco amigos de la Compañía de Jesús, ¿en qué quedó una vez abandonada por las misiones que hubieron de seguir la dura suerte impuesta a toda la Compañía por los enciclopedistas que rodeaban a Carlos III?

El gobierno de este Rey, «pretextando la libertad del indio—dice el señor Monner—y sin respeto ya a tradicionales derechos, trocó en breve en desolados campos y en ruinosas aldeas, lo que un día fuera espléndido albergue de los inocentes y felices indios guaraníes». En pocos años la población descendió a menos de la mitad de lo que era en tiempo de las misiones. A tal punto llegaron las cosas, que el virrey, Pedro de Zeballos, ordenó al P. Provincial de la Orden de San Francisco que girase una visita a fin de informarle «de todo aquello que necesite un pronto remedio»; y el referido P. Provincial Fr. José Blas de Aguirre le decía después en su informe, entre otras cosas:

«Se han inspirado a los indios unas nuevas ideas de libertinajes muy perjudiciales, y sobre todo se ha trabajado demasiadamente en persuadirles que son verdaderos señores de sus tierras, de sus ganados y de todo el producto de uno y otro; que no es ahora, ni por eso, más feliz su suerte, la experiencia se lo enseña, la penuria misma les convence y su actual estado los desengaña. Eran señores antes y lo son ahora, pero con la diferencia que ahora lo saben y antes no, en el concepto común... Pero continuando el general conocimiento de que son incapaces de dicha administración, no han hecho más que mudar de tutores y substituir esta calidad en unos hombres que los han conducido a una tan espantosa ruina, que no puede creerse sin registrar el terreno mismo de la desolación.

¿Dónde estaba ya aquella España, que había sido la primera nación colonizadora del mundo, aquella España de la Real cédula de1606 mandando a Hernandarias de Saavedra «que, aunque pudiese sujetar a los dichos indios del Paraná arriba con armas no lo hiciera sino por vía de la predicación y doctrina?»

Aquella España no era ya España sino un Estado más, incoloro, descaracterizado por los discípulos de la Enciclopedia, que, haciendo tabula rasa de todas las altas ideas tutelares de la nación, proclamaban la absoluta libertad e independencia del Estado, para que ningún freno pudiera estorbar la avidez de mando y las concupiscencias personales de los gobernantes.

Porque el poder social es absorbente por naturaleza: pero, así como esta tendencia, lejos de ser aniquiladora para el pueblo, le es beneficiosa, cuando aquel poder, como antes dijimos, es la encarnación de los grandes ideales históricos y de la vocación nacional: cuando estos ideales y esta vocación son desatendidos, se abre la era de los despotismos personales repugnantes o la era de las revoluciones. Porque quitada toda idea de superioridad y de prestigio, ¿qué otra cosa queda sino las concupiscencias de los de arriba frente a frente con las concupiscencias de los de abajo, ni qué otra cosa impera más que la ley del más fuerte?

O revolución o despotismo; y los hombres políticos pasan sucesivamente de revolucionarios a déspotas, y de déspotas a revolucionarios, mientras el pueblo anda a tientas elevando a unos, derribando a otros, sufriendo el yugo de todos, sin verdadera fe en ninguno, sin norte fijo, persiguiendo unos fantasmas de libertad y de beatitud universales que no hacen más que apartarle del camino que su genio particular le tiene marcado, y distraerle y hacerle olvidar su misión propia, diferente en cada uno dentro de la gran armonía de la evolución humana.

Esta ha sido la historia contemporánea de Paraguay y de todas las repúblicas hispano-americanas, y esta la de muchos modernos Estados europeos. Unos empiezan ya a anhelar luz y protección, y seguramente la admitirían hasta de sus tiranos, si tiranos encontraran que supieran y pudieran darles la verdadera.

En tales estados de ánimo de las sociedades, libros como «Pinceladas históricas» del señor Monner hacen pensar muchísimo y le llevan a uno muy allá en el camino de los pensamientos y de las aspiraciones.

Mensaje al rey

Señor:

He aquí a algunos de vuestros pueblos que vienen a hablaros de cosas suyas muy entrañables. Antes que, lanzadas a la disputa política, quieren estas cosas ser habladas en alto coloquio de pueblo a Rey, para que, así vestidas, con la serenidad de vuestra altura, lleven algo de majestad a la lucha en que deben ser contrastadas.

Habéis de saber, Señor, que no todos vuestros pueblos hablan por naturaleza una misma lengua. Además de la numerosa familia castellana, hay vascos, cuyo lenguaje es quebrado como su suelo y armonioso como las borrascas del mar Cantábrico; hay gallegos, cuyo acento dulcemente obscuro parece balbucear remotos recuerdos y vagas esperanzas; hay catalanes, que hablan una lengua clara como el mar en que Cataluña se mira como hermanada con Provenza, Italia y la divina Grecia, y que, ricamente matizada, es también la de los valencianos, y un poco mar adentro, la de los baleares; hay, en fin, todavía otros modos de lenguaje menos conocidos y por ello más hermosos y más queridos de sus naturales en tantas ondulaciones de las playas y tantos repliegues de las sierras del accidentado suelo español.

Ciertamente, Señor, que mucho de esto os es ya conocido: entre los vascos habéis vivido, hasta los astures habéis llegado, y a la lengua catalana mostrasteis vuestro Real aprecio en la persona de su gran poeta moribundo. Pero ¡es tan dulce y hasta diremos tan necesario a los pueblos hablar directamente con sus Reyes de lo que más tienen en su alma, sobre todo en los albores de un reinado cuando el joven Rey está sediento de su pueblo, y el pueblo de prosperidad y justicia nuevas!

Cierto también que para tales efusiones suelen ser escogidas alegres solemnidades y fechas que quedan para siempre faustas. Mas a nosotros no nos ha sido dado el escogerlas, pues se ha querido mostrárosnos ya de pronto como desconocedor de todas aquellas cosas, y en nombre vuestro se ha inferido a ellas un agravio y se ha despertado una alarma.

Una disposición puesta recientemente a la Real firma por uno de vuestros ministros responsables y que, al afectar la enseñanza religiosa afectaba lo más hondo y sagrado de la conciencia individual y social, nos hirió no solo como un agravio a la lengua que Dios nos dio para que por ella le conociésemos y alabásemos, sino como una reincidencia en antiguas prácticas igualmente lesivas, y una amenaza de que ya nada hay seguro en el modo natural de ser de vuestros reinos.

En una lengua que, aunque se llama la española, no es la de todos los españoles, se da a tantos que no les es propia una enseñanza que necesariamente ha de quedar superficial e inactiva ya desde sus comienzos, pues resbala como una música sobre los sentidos, sin ser asimilada por los espíritus infantiles o no bastante cultos.

En esta misma lengua se administra justicia en nombre vuestro a tantos súbditos que mal o nada la conocen; el juez y la parte no se entienden muchas veces sino por medio de intérprete; y ¿qué modo de entenderse es este en cosas en que anda por medio la santidad de la justicia? El testigo ha de ratificarse en una declaración que le leen sin que pueda comprenderla; el acusado escucha en vano la acusación y la defensa; el magistrado ha de abandonar su criterio a una traducción, bien o mal intencionada, pero nunca absolutamente pura, de los mayores elementos de prueba, y los jurados están expuestos a cada momento a que su criterio vaya arrebatado por la corriente meramente musical de los párrafos forenses. Así se administra entre nosotros la justicia en nombre vuestro.

La suprema expresión de la voluntad del individuo, el testamento, se escribe en lengua castellana; y ¿cómo puede el testador, que la ignora o no la comprende bien, apreciar si su voluntad ha sido bien interpretada en un documento en que una simple construcción gramatical y hasta el matiz de una palabra puede alterar u obscurecer el sentido y torcer, por tanto, o convertir en causa de desunión de la familia aquel último intento en el que va el reposo santo de la vida y de la muerte?

Las oficinas de vuestra administración están servidas por Agentes que generalmente solo hablan y entienden la lengua castellana. Y así veríais, Señor, los fuertes payeses, que hacen fecundos nuestros campos, principal riqueza del

Estado, los activos industriales que realizan en nuestras ciudades el progreso y la prosperidad material, los pobres obreros cuanto más humildes más necesitados de consideración, temblar como culpables ante el último oficial de la oficina que, exasperado por la mutua inteligencia, no puede atender debidamente su demanda y acaba por atropellar tal vez su derecho. Y, sin embargo, Señor, ¿es puesto el empleado para el ciudadano, o el ciudadano para el empleado? ¿Quién ha de ser apto para quién, en un país libre y bien administrado?

Estas son antiguas y viciosas prácticas, y si en vez de corregirlas vuestros gobiernos manifiestan la voluntad de agravarlas con nuevos desaciertos como aquel a que nos hemos referido, ¿qué no hemos de temer para el porvenir? Cuando todo tiende a una mayor participación del pueblo en la vida del Estado y del Estado en la del pueblo; cuando ministros y legisladores se afanan en implantar instituciones democráticas, tomándolas de países más avanzados en la civilización; cuando la vida obrera va reclamando una acción cada día más directa y frecuente del gobierno y sus agentes en los conflictos del trabajo, y la creación de nuevas escuelas y de tribunales mixtos, ¿qué podemos esperar de estas nuevas instituciones en las que ha de actuar muy principalmente la palabra viva, el término técnico que nace espontáneamente en cada comarca al calor de su especial actividad, la perfecta inteligencia de la expresión y de sus matices, si el elemento oficial que ha de intervenir en ellas es desconocedor de la expresión de los pueblos en que principalmente han de desarrollarse? ¿qué puede venir por ello, sino malas inteligencias y rigideces y choques funestos y la ruina al fin del porvenir y del presente?

Por esto, Señor, los que ahora os hablamos, atentos unos al estudio de las ciencias sociales y jurídicas, otros venidos de la tierra, cuyo trabajo, el más noble y puro, parece que está más cerca de Dios, otros que enriquecen y honran a la nación en la función más progresiva del comercio, otros, en fin, en constante contacto con las masas obreras y la maravillosa vida de sus máquinas, y todos juntos representantes, por tanto, del conjunto de la actividad nacional en aquellas regiones que, teniendo su verbo distinto del oficial, Dios quiso que no fueran las que menos alto pusieran el nombre de España y su poderío; todos juntos, Señor, hemos sentido, con el agravio presente, más duros los errores pasados que permanecen y más terrible la amenaza para el porvenir, si este hecho de la lengua, que a todo trasciende y de todas partes es sensible, no obtiene desde luego una garantía de respeto que enmiende lo presente y no deje lo futuro a merced del capricho, del desconocimiento o de la apasionada ligereza de cualquier agente del poder ejecutivo.

Y cuando nos hemos reunido para comunicarnos tales protestas y tales temores y tales esperanzas, nuestro impulso ha sido en seguida unánime e irresistible. Vamos al Rey —nos hemos dicho—; mostrémosle las entrañas de sus pueblos; que vea su conmoción y su anhelo, y Él, que reina por encima de las pasiones políticas y de los intereses momentáneos, Él, que a todos por igual nos ama, Él, que es castellano y catalán y gallego y vasco, porque es el Rey de España, y su Real amor vive en la variedad de sus pueblos, Él nos comprenderá en seguida y hará lo que mejor nos convenga, cuándo, cómo y del modo que solo Él puede escoger y determinar sabiamente, poniendo nuestras aspiraciones en armonía con la vida total de la nación.

Vamos al Rey —nos hemos dicho— y aquí nos tenéis, señor, mostrándoos ingenuamente las entrañas de vuestros pueblos sobre los que reináis lo mismo que sobre la superficie de sus campos y poblados. Solo vos tal vez, señor, no nos tacharéis de inocentes o de temerarios porque en nuestras palabras no veréis otra inocencia ni otra temeridad que el amor y la confianza en el amor.

Y si estas palabras que os decimos en el lenguaje oficial del Estado, pudiéramos decíroslas y Vos entenderlas en nuestro idioma vivo; si os pudieran hablar los catalanes en catalán, los vascos en vasco y los gallegos en gallego, ¡ah, señor, qué distinto sería el acento de nuestras palabras; cuánto más os penetrarían de nuestro amor y de vuestra grandeza!

Entonces sentiríais toda la realidad de vuestro Reino de España, y vuestro Real sentimiento se ceñiría de aureolas imperiales. Entonces gozaríais en la rica variedad de vuestros pueblos, y os parecería ser un padre que tiene muchos hijos, cada uno con su fisonomía, su carácter, sus defectos y sus virtudes y su manera de amar, engrandeciendo así el amor de la familia, que no es más una ni más feliz por ser único el hijo y muy hermoso, sino por el amor de muchos, Locura sería querer hacer de todos uno muy grande, que si este muriera, apenas el padre sabría sobrevivirle; mientras que, siendo muchos, todos van reviviendo en todos y el padre en ellos juntos.

Esto es, señor, cuanto ahora nos sentimos impulsados a

deciros. Vos haréis de ello el mérito que mejor os convenga, pues en la tierra, solo Vos sois juez de vuestros deberes. Nosotros creemos haber cumplido con el nuestro como lo cumpliremos siempre lealmente, séanos próspera o adversa la fortuna.

PARTE III
ENSAYOS DE CRÍTICA

Ensayo de crítica

Dejadme decir mi impresión de la Luisa de Charpentier. Me ha parecido una obra muy meditada, y por ello, moderna, de nuestro tiempo. El arte moderno es sobre todo razonado, lo cual es tanto su fuerza como su debilidad.

También esta ha sido la mayor gloria de Wagner: la de haber sido un hombre de su tiempo. En una época en que la crítica es importante, Wagner ha sido sobre todo un gran crítico: su tiempo era, más que el de la obra espontánea de arte puro, el tiempo del arte y la reflexión, y el teatro wagneriano es, por encima de todo, una gran reflexión artística. Wagner brota de la corriente de su tiempo y la engrandece: fue una moda, y por eso ha tenido fanáticos. Beethoven, Mozart, solo tienen devotos: no representan ninguna moda.

El pensamiento wagneriano es colosal. Dice: El drama musical es aquel que se produce en una atmósfera musical: busquemos, por tanto, temas en dicha atmósfera, y el drama se musicará solo: musicalidad es lirismo, grandeza de sentimientos, vaguedad de cuerpos, alejamiento liberatorio de lo demasiado carnal de la vida, todo lo que se encuentra en las grandes leyendas de la humanidad, así que, de estas leyendas haré mi drama musical, y si escojo las grandes leyendas nacionales, haré el drama musical nacional.

Esto es una especie de inspiración por silogismo, que por fuerza tenía que hacer furor en los cerebros de los artistas del siglo XIX, cegados, en gran parte, por el terrible espíritu crítico en que fueron generados. Y así nació la escuela wagneriana que, aprovechándose de los aciertos del maestro (elección de temas adecuados a la música, ambiente envolvente a la acción, justa proporción entre la declamación y el canto, riqueza armónica e instrumental, etc.) produjo obras encomiables, sobre todo comparadas con las de aquellos autores que, yendo más a la suya y con gran falta de sentido artístico, seguían poniendo música a dramas de Sardou y novelas de Erckman-Chatrian, pensando siempre en la soprano y el tenor.

Los errores del maestro (fe absoluta en la solidaridad de todas las artes en el teatro, confusión de escenas y personajes musicales con otros que no lo eran, teorización demasiado abstracta del teatro que olvida lo que quiere el público, excesivas preocupaciones técnicas, etc.) perjudicaron a los discípulos, quienes al no poseer aquel gran talento musical y escénico que redime en gran parte las obras de Wagner de estos errores, y las hace bellas a pesar de todos los cabos que hay dentro, ellos, los discípulos, lo que ganaban en orientación y escrúpulo crítico, lo perdían en espontaneidad y potencia personal. Así, en conjunto, la obra resultaba estimable, como he dicho, pero incolora, poco significada.

Sin embargo, la Luisa de Charpentier ya es otra cosa. Charpentier ha tenido el talento de apropiarse de la idea wagneriana, adaptándola al medio propio, algo que no supieron hacer muchos otros que, como el maestro era alemán, ellos hacían en francés, o en italiano, o en ruso el drama musical... alemán. Charpentier no; ha asimilado la idea wagneriana y ha hecho un drama musical francés: tanto, que su Luisa se parece a la Carmen de Bizet (¡tan española... tan francesa!).

Y todavía ha pensado algo más Charpentier (y así ha aventajado al maestro). Wagner buscaba la atmósfera musical del tiempo, y realizaba dramas que, en lo referente a sentimientos universales y eternos, interesaban poco al público; los dotaba de un ambiente musical, a base de imaginación o de erudición, que el público no conseguía comprender. Charpentier, con gran intuición, con gran atrevimiento, ha tomado en vivo una acción y un medio vividos por su público. Ha sabido ver el lirismo, la grandeza, el símbolo, la musicalidad, en una palabra, de lo moderno, del ambiente que nos rodea, y ha revelado lo eterno del hoy, y la universalidad de las particularidades parisinas: el amor, la ensoñación, las luchas del corazón humano bregando en el París de hoy, en medio de la música de la ciudad, de sus canciones, de las cantinelas de la gente que va por las calles gritando su oficio, sus murgas, los pasos musicales del pueblo, etc. y de esta manera ha encontrado el drama que se apodera rápidamente del público por la acción y por el ambiente vivo musical.

Esto es lo que ha tenido en cuenta. La realización artística ya es otra cosa: en proporción a la idea, quizá la obra resulta un poco floja; además aparece a menudo la tara de la tesis, este mal fario del arte moderno. Por mucho que uno quiera ser siempre respetuoso con un artista del talento de Charpentier y con su obra, es imposible no hacer amago de reír al encontrar, puestas en música, frases como estas: Todo ser tiene derecho a ser libre... El amor de los padres no es más que egoísmo... La experiencia ... La rutina... ¡La Virgen!

En cambio, hay momentos genuinamente musicales, como el despertar de París, que verdaderamente ponen los pelos de punta por su gran arte; tanto, que uno encuentra natural, en medio del realismo de la escena, la aparición fantástica, simbólica, del Placer de París. Lo fantástico, lo simbólico, brotando de lo real: he aquí el arte en todo su misterioso poder. Y después, la sinfonía de los gritos de París: el gran pensamiento que subyace a la obra, aunque quizá no ha habido suficiente fuerza artística para desarrollar todo su potencial; parece un cuadro que es una sugestión de Zola y que, a su vez, va más allá de Zola.

Otro gran momento musical es el de los dos amantes en la noche brillante de París, ese París presente en toda la acción con su grandeza. Pero aquí también el pensamiento es muy superior a la realización artística. Y por último, el gran final, en el que el ambiente musical de París (¡siempre París de fondo!) se mete en el drama de padres e hija intensificándolo, engrandeciéndolo, haciéndolo simbólico... En esta parte parece que el artista ha vivido más intensamente, más artísticamente, la obra: hay una gran palpitación parecida al final de Carmen, pero en Luisa es más consciente; quizás demasiado.

En fin, es esta una de las obras de arte moderno que más me han hecho sentir. Pero todavía más me ha hecho presentir y desear. Porque al pensar a solas, más a menudo que: «¡Qué belleza!», me sorprendía a mí mismo murmurando: «¡Qué inteligencia!»

Y eso no me ha pasado nunca con una sinfonía de Beethoven.

Friedrich Nietzsche

Muy pronto será el filósofo, sociólogo-poeta de moda. Ya en Alemania una juventud lo idolatra como casi a un dios, y su nombre y sus libros no tardarán en traspasar las fronteras, porque representan una idea nueva, o al menos, renovada de la vida, una idea trascendentalmente sana y optimista que beberán ávidamente las resecas inteligencias de nuestra generación trabajadas por pesimismos y sutilezas.

Es un fenómeno de todas las decadencias, de todas las civilizaciones excesivamente refinadas y cansadas de intelectualismos; una reacción, una vuelta, a veces brusca y exagerada, a las ideas primitivas, a lo rudimentario, a lo brutal, por así decirlo, de la naturaleza. Por eso en Grecia aparecen los cínicos, los estoico-cínicos en la Roma imperial, Rousseau detrás de Voltaire, y ahora, Tolstoi y Nietzsche después de Darwin y Schoppenhauer.

Nietzsche viene afirmando el libre albedrío, la voluntad como el gran agente impulsor de la vida. En la esencia de los seres —dice— no hay causas, ni influencias, ni medios ambientes, ni necesidades que valgan: la voluntad de cada uno es su causa y su medio, y la ley de su existencia.

Los hombres son esencialmente desiguales según la fuerza de voluntad que tienen. Está el hombre superior, el héroe, fuerte, libre, irresistible, que vive la vida en toda su intensidad, ávido de goces y de luchas, dominador valiente y satisfecho que lleva en su fortaleza y en su plenitud de vida el signo de su superioridad. Estos son los menos, los escogidos, los aristócratas del mundo que deben dirigir y gobernar y oprimir, si así conviene: son los leones que ríen, que caen impetuosos y triunfantes sobre su presa para jugar con ella y devorarla: para ellos vivir es poder, y su imperio es el de la fuerza corporal, el de la salud rica, floreciente, exuberante, que se desarrolla en guerras, aventuras, cacerías, danzas y juegos, en todo aquello que es fuerte, libre y alegre. En su vida, el instinto es igual a felicidad, y el goce, la ley universal.

Abajo de estos están la mayoría, la masa de los naturalmente esclavos, los débiles, los tímidos y reflexivos cuyos instintos yacen apagados y cuyo destino es el de estar a merced y servidumbre de los privilegiados.

Para Nietzsche, el malestar de nuestras sociedades consiste en haber interpretado la vida al revés, en haber informado la moral y el derecho en utilidad de los esclavos, de los débiles y miserables, a quienes se ha presentado como los verdaderos hombres modelo, en provecho de los cuales han brotado toda suerte de instituciones inspiradas en un deplorable ultracismo. De ahí han salido esas democracias, esos dominios de las mayorías que parten de un concepto absolutamente falso de la vida. No—exclama Nietzsche en su radicalismo brutal— la ley del mundo es el egoísmo, la ley del fuerte, del rico de instinto, del hombre de presa que ha nacido para gozar y dominar y a quien la cultura actual, cultura de esclavos, tiende a domesticar, a anular en interés de la despreciable mayoría digna de servirle tan solo de pedestal.

Como reacción a nuestra época de intelectualismo y de degeneración fisiológica se anuncia ya una época guerrera; se levanta una aurora de hombres fuertes, sanos de cuerpo y de alma, de verdaderos aristócratas que vendrán a marcar con el sello de la esclavitud al vulgo de los débiles e incompletos; a los esclavos que hoy se educa como a señores, de cuya civilización hay que precipitar la ya visible decadencia: no corregirla, no apuntalarla, no contenerla, sino empujarla y precipitarla para acabar con ella y para que de su aniquilación, de su arrasamiento completo, surjan esos pocos, esos escogidos que han de ser los héroes europeos, los señores del mañana.

Tal es, así en cuatro palabras y más o menos incompleto, el pensamiento de Nietzsche, que como una oleada de aire sano cargado de fuertes aromas de poesía barre la moderna atmósfera de pesimismos y fatalidades.

Al exponer este pensamiento no hemos intentado presentarlo como un credo nuevo e indiscutible. ¿A dónde iríamos a parar? Entendido superficialmente cualquier faquín podría creerse con la misión de ser el Rey del mundo; cualquier adorador de Baco o de Venus se sentiría de repente riquísimo de instinto y con ánimo de cometer toda suerte de barbaridades; y no faltaría quien sostuviera que esos varones fuertes de los que nos habla Nietzsche son ni más ni menos que las clases populares en masa, libres de intelectualismos y afanosas de placeres.

Y no es eso. Lo noble, lo hermoso, lo excelente —manifiesta el propio Nietzsche— es raro y exquisito, y el privilegio es la ley natural de los seres naturalmente privilegiados. De manera que no hay que confundir a Ravachol con Carlo Magno: Ravachols se encuentran más de los que se necesitan, mientras que Napoleones primeros o Césares Borgias, ya son más escasos.

Tampoco entendemos, con la divulgación de aquello que de Nietzsche nos ha llegado, hacer lo que suele llamarse atmósfera reaccionaria, pues cualquiera puede comprender que de llegar el mundo al ideal nietzscheano no serían las menos oprimidas las clases interesadas en que la susodicha atmósfera domine.

Hemos obedecido simplemente a un irresistible impulso expansivo nacido de la emoción que nos ha causado el concepto sociológico-poético de Nietzsche. Porque este, más que nada, es un poeta, un iluminado, cuyas afirmaciones no son hijas de un sistema filosófico en el estricto sentido de la palabra, sino que más bien parecen profecías, ditirambos inspirados por intuición poética y expresados con un arte maravilloso que embelesa y cautiva.

Además, tras tanta democracia y tantas instituciones democráticas que por temperamento nos repugnan y nos cansan, el radicalismo aristocrático de Nietzsche, con toda su genial brutalidad, nos refresca y nos infunde consuelo y fortaleza.

Y finalmente hemos creído que no sería ocioso añadir un nuevo dato a lo que ya hemos apuntado otras veces, esto es, que empieza a revestir cierta significación el movimiento de protesta que hace ya tiempo se ha iniciado contra el orden social existente en lo que
este tiene de falso, de vacío, de formal, de cuerpo sin alma.

Ya el positivismo de Spencer empezó a venir contra lo que en la idea democrática imperante hay de abstracción, de sensiblería y de desconocimiento de la naturaleza humana; el diletantismo de Renan ha soñado con una aristocracia intelectual toda distinción y refinamiento; Ibsen se ha presentado como el portador de una humanidad ennoblecida, y no precisamente por obra de la democracia; y el genial Tolstoi fanatiza a parte de la juventud rusa con su místico anarquismo. Hoy hemos hablado de Nietzsche, cuya boga en Alemania y fuera de Alemania superará probablemente, por su originalidad y grandes cualidades de estilo, a la de Schopenhauer.

Cada uno parte de un punto distinto y va en diversas direcciones, aunque opuestas entre algunas, hacia un objetivo que no es el mismo en la vaguedad con que la lejanía permite divisar; pero para llegar a él, y sin perjuicio de separarse luego, todos estos grandes hombres convergen en una intersección que no es ni más ni menos que la ruina de nuestras sociedades viejas y desacreditadas. ¿Qué hay que temer? ¿Qué hay que desear? Es inútil preguntarlo: consignemos la aparición de los signos precursores y esperemos con curiosidad que majestuosamente se desenvuelva una nueva fase de la evolución humana.

A propósito de un drama

Cayó el telón y el público (un público mayormente selecto, refinado, intelectual y nervioso al mismo tiempo) salió exultante y conmovido a los pasillos. Todos tenían algo que decir y presentían, impacientes, las contradicciones; con mirada inquisidora, buscaban a los de su misma opinión y a los de la contraria, se formaban, y no al azar, grupos, el cambio de impresiones empezaba con ligereza de buen gusto o prudente reserva (cada uno economizaba sus municiones para el combate que se venía encima), hasta que una afirmación rotunda, categórica, vertida por el menos paciente o más convencido daba la señal de la mélée á la que ni los más tímidos sabían rehusarse.

Aun sin aproximarse a los corrillos, sin enterarse de las frases que se cruzaban, por el tono de estas, por la esforzada voz, por la excitación del gesto y del semblante, se adivinaba que lo que allí se discutía no eran los amores del galán y la dama, ni la verosimilitud del enredo, ni un giro escénico de final de acto, sino algo extraordinario, algo fuerte, algo que al público le había llegado muy adentro y que le interesaba mucho y de una manera actual y vehemente. El drama representado era de Ibsen: era El enemigo del pueblo.

Por eso, al acercarse uno a los grupos, no oía nombrar a los personajes de la obra, ni siquiera hablar de las escenas que se habían desarrollado en las tablas, sino el nombre del autor, mezclado con otros nombres propios también extranjeros y con muchos no propios acabados en ismo y en acia y con el Pueblo, el Instinto, la Inteligencia, todo con letra mayúscula, pues la entonación también tiene su ortotipografía.

Lo que más positivamente parecía desprenderse de aquellas discusiones era que el sufragio universal había quedado muy mal parado en el drama, la prensa liberal en berlina y la democracia por los suelos. «¿Quién forma las mayorías —había dicho Ibsen en boca del protagonista— los inteligentes o los imbéciles?» Y esto había arrancado el aplauso del público. Algunos reaccionarios se frotaban las manos de gusto sin saber lo que hacían, y no pocos demócratas pusieron cara de vinagre tomando a Ibsen por un carlistón o algo así.

La cosa no era para menos: esto de poner el sagrado gobierno en manos populares se pasaba ya de la raya. «Los entusiastas del gobierno popular —ha dicho Sumner Maine — están impregnados casi del mismo espíritu que los devotos del legitimismo: suponen que su principio posee una sanción anterior y superior al hecho».

Lo que parecía fuera de duda, porque todos lo sentían dentro de sí, era el intenso anarquismo del drama. El doctor Stockmann, héroe del mismo, verdadero héroe, se encontraba, por el mero hecho de ser inteligente y generoso, frente a frente el interés de su familia, de los poderes constituidos, de las pasiones de partido, de la propiedad, y nada menos, que de la opinión pública. Él solo contra tantos por querer llevar adelante una idea. El conflicto verdaderamente grandioso, rayano en lo trágico, se había apoderado del público que se debatía en él desesperadamente. Porque en aquel desmoronamiento de instituciones y frases hechas, cada uno tenía algo que conservar. Unos el principio de autoridad y la propiedad inmueble, otros el prestigio de la prensa liberal, los de más allá su fe, vaga a pesar suyo, en el instinto popular, y hasta alguno parecía temer por las mayorías que dan actas de diputado.

En vista de que todo iba tan mal, alguien dijo: 1.º que Ibsen era un pesimista al situar la inteligencia y la buena fe en contraposición con las bases de la sociedad actual; 2.º que era un ideólogo al inclinarse por un predominio poco práctico de la inteligencia; y3.º que siempre se había visto y siempre se vería a los más listos dominar con soltura a los inteligentes de buena fe. Esto último resulta un poco desconsolador, y conduce a plantear el gran problema entre el pensamiento y la acción, la inteligencia y la voluntad, las minorías aristocráticas y las turbas groseras e instintivas.

Esas grandes cuestiones son, para ciertos espíritus, abismos insondables en los que fijar los ojos fascinados, dejan revuelto el estómago con solo pensar en ellos, y dan ganas de echar a correr volviéndoles la espalda, pero las piernas temblorosas se inmovilizan y uno se siente como suspendido en el vacío... ¡qué angustia y qué fruición!

Quien en semejante estado de ánimo hubiera andado aquella noche de grupo en grupo para saborear el áspero placer de oír hablar de esos temas, habría tenido frecuentes y poderosas tentaciones de dejarse caer en el vacío.

El mundo, la humanidad en su conjunto, caminando guiada por la misteriosa luz del instinto popular: idea grandiosa, casi divina, para unos. Los pueblos dirigidos por los sabios, por el instinto en su estado consciente y luminoso; un grado más de perfección, según otros. Las multitudes gobernadas por los fuertes, por los que, como signo de su misión, tienen el poder de sujetarlas y arrastrarlas en pos de un ideal parece indudable por profunda sencillez, según los de más allá. Cada una de estas ideas, a pesar de ser tan opuestas, al menos, aparentemente, atrae y enamora... en la vaguedad de sus nombres: instinto popular, aristocracia de inteligencia, hombre fuerte, hombre; todo muy hermoso.

¡El instinto popular! Le caeur humain de qui? Le caeur humain de quoi? dijo Musset. ¿Quién es el pueblo y cómo manifiesta su instinto? Tan pueblo es la masa burguesa de inteligencia poco refinada que instintivamente se aferra a sus instituciones como la masa desheredada que conspira contra aquella y pide su parte en la joie de vivre. ¿Dónde está el instinto del pueblo? ¿En los que prefirieron antes a Barrabás que a Jesús? ¿En los que destruyeron a martillazos las primeras máquinas selfactings, en los que iban por millones detrás del caballo de Boulanger? ¿No parece más bien que el pueblo es el gran conservador, el gran depositario del misoneísmo, refractario de toda innovación, enemigo de Sócrates y amigo de las brillantes reputaciones de un día? No —se replica—el instinto popular se ve en los grandes movimientos humanos: en la invasión de los bárbaros sedientos de tierras soleadas cubiertas de verdor y de frutos, sedientos de riqueza y de mujeres hermosas, sedientos de la luz de mediodía hacia donde lanzaron sin sospechar su misión reformadora, pero que fueron a realizar empujados por su instinto; en la revolución francesa que el pueblo hizo instintivamente en provecho de la libertad. En una palabra, el instinto popular se inclina siempre al goce de la vida cada vez con mayor intensidad.

Todo esto —repetimos— parece hermoso porque es vago. En su vaguedad y generalidad no se puede negar en absoluto; pero tampoco habrá quien de ello lógicamente afirme la participación que al instinto popular debe darse en la dirección concreta y reflexiva de cada pueblo. El instinto popular tiene razón..., cuando después resulta que la tenía.

¿Qué hubiera sido, o mejor dicho, habría llegado siquiera a ser la revolución francesa sin la enciclopedia que antes la dotó de espíritu? Los inteligentes son los que se apoderan del pueblo o imprimen en las masas una dirección que se atribuye falsamente al instinto popular. Los pueblos deben ser gobernados por los inteligentes.

Los inteligentes son ineptos para gobernar —exclamaba una voz dominando las otras—porque tienden a artificios ideológicos incomprensibles para el sentido rudimentario de las masas, y porque generalmente son impropios, inhábiles para la acción, para arrastrar a las multitudes que suelen serles enemigas.

Solo el hombre de acción, el hombre fuerte, fascina y doma a la muchedumbre de los sabios y de los ignorantes, de los ricos y de los pobres: en esa misma fascinación y potencia lleva el signo de su misión: toca con la cabeza en las altas regiones de la inteligencia, y apoya su planta firme y segura en el suelo humilde: es humano y divino a la vez, y por tanto el rey del mundo. Lo que dió significado a la invasión de los bárbaros fue el cristianismo, quien hizo fecunda en Europa la revolución francesa fue Napoleón. Sin Jesucristo y sin Napoleón aquellos dos hechos hubieran sido dos barbaridades estériles y carentes de sentido. El hombre fuerte viene cuando ha de venir a dar sentido a las cosas.

A la vista estaba: al público se le había subido el drama a la cabeza, y por reacción al aparente negativismo de la obra, la necesidad de afirmación se hacía general.

¿Por qué afirmar? En el último acto El enemigo del pueblo se recrea en los rayos de sol y en los efluvios de primavera que entran por los huecos de los cristales que la muchedumbre instintiva le ha roto a pedradas: pues bien, aquellos rayos y efluvios son como una afirmación pasando a través de una negación.

Obras de Concepción Arenal

Acabamos de leer un libro de Concepción Arenal: el tomo duodécimo de sus obras completas que empezaron a coleccionarse después de su muerte. Era verdaderamente Concepción Arenal un alma sedienta de justicia y caridad. Esta sed piadosa, de conmiseración activa, es toda la fuerza de la escritora: lo que en ella parece estudio y teoría, lo que es estilo y excelencia de lenguaje, incluso sus extravíos y vulgaridades, son sed de justicia y caridad en un alma de mujer.

Tal es la impresión que nos ha renovado este libro que acabamos de leer y que contiene tres opúsculos: El derecho de gracia ante la justicia; El reo, el pueblo y el verdugo, y El delito colectivo. Echemos un piadoso velo sobre este último, escrito en los años postreros de la anciana escritora, y en el cual el asunto está completamente desenfocado, resultando, por tanto, un tratado difuso e inocente.

Hablemos un poco del primero. La señora Arenal se muestra vehemente adversaria del recurso de gracia en el derecho penal, porque la gracia —dice— es la negación de la justicia. Y con ello alardea de un sentido jurídico de mujer, que en muchos hombres resulta más chocante que en ella.

Sus ataques al derecho de gracia son brillantes y atractivos. Por ejemplo, hablando de la amnistía (el derecho de gracia aplicado a los delitos políticos) dice «Los crímenes más horribles se amnistían si se cometen gritando viva esto o muera aquello, y se absuelve el robo, el incendio y el asesinato si se han perpetrado con ocasión de un levantamiento en armas».

Los indultos generales, es decir, los que se extienden a toda clase de delitos, graves y leves, y a toda especie de reos, mejorados o perversos, la enciende en hermosa indignación; pues esto —exclama— no es indultar «porque la ley fue en exceso severa, sino porque el hecho de burlarla forma parte del programa de fiestas para celebrar un suceso oficialmente fausto; hay iluminaciones, fuegos artificiales, toros... e indultos». «El pueblo que ve tranquilo la injusticia de los Códigos —-añade más adelante—porque fía en las compensaciones de la arbitrariedad, se parece a los viajeros que se duermen bajo los árboles cuya sombra mata. Es subversivo de toda idea de justicia el que haya poder alguno superior a la ley, a aquella regla, siempre la misma e igual, para todos los que se hallan en iguales circunstancias, y como al cabo la idea que se tiene de la justicia viene a ser su norma, el derecho de gracia llega a ser una concausa permanente de extravío en materia jurídica».

Cuando una mujer se pone a aprender sentido jurídico en los libros, lo profesa así, cerrado, y más si el recurrir a los libros es por sed de justicia. Y sin embargo, ¡qué bien se transparenta el corazón femenino en estas frases que quieren ser duras! «El pedir la supresión del derecho de gracia parece una demanda cruel; nosotros mismos nos estremecemos al formularla; pero si la mano tiembla y el corazón palpita, la razón ve claramente que es justa, humana, piadosa la reforma que quisiéramos ver realizada.

Pero lo más hermoso del libro es indudablemente la parte titulada: El reo, el pueblo y el verdugo, o, la ejecución pública de la pena de muerte. Esas páginas, escritas en 1867, tal vez en toda la fuerza de la juventud y del talento de la escritora, son de una plenitud admirable. El sentimiento llega a aquel punto de intensidad en que se convierte en lógica palpable, en argumentos que, siendo quizás en su fondo discutibles, no se discuten, sino que avasallan. Quisiéramos transcribir todos los párrafos: transcribiremos algunos:
«El reo de muerte ama la vida; por regla general, la ama más que ninguna otra cosa; siente, al perderla, el mayor de los dolores; está abatido, consternado. Esa serenidad, ese valor aparente que lleva al patíbulo, son casi siempre mentira, son el último esfuerzo del amor propio, que no abandona al hombre ni aun al borde del sepulcro. El criminal se presenta sin vergüenza como criminal, pero la tiene de parecer débil: la sangre derramada imprime, a su parecer, sobre la frente una mancha menos fea que una nota de cobardía, y procurando olvidarse de cómo ha vivido, piensa en morir bien, en morir como hombre: es decir, en morir sin apariencia de temer la muerte. Para esto busca estímulos físicos y morales, el qué dirán sus amigos y la multitud, los manjares excitantes y las bebidas espirituosas.

«¿Es cristiano, es lógico, enviar al reo un ministro del Señor para que le ayude a bien morir, y una multitud que le ayude a morir mal, como ha vivido? ¿Es cristiano enviarle esa inmensa tentación de la vanidad, esa distracción de la conciencia, ese obstáculo al arrepentimiento allí, frente al cadalso, al borde del sepulcro, en los umbrales de la eternidad?... Desde el momento en que el suplicio se convierte en espectáculo, se hace del reo un actor que, como todos, quiere ser aplaudido y teme ser silbado. Ya no es de su crimen, ni del daño que ha hecho, ni del horror que debe inspirar, de lo que el pueblo se ocupa, sino de si va bien peinado, de si tiene buena figura, de si marcha con paso firme, de si su aspecto es varonil y su voz entera; es un drama gratis y al aire libre en que el público se olvida del culpable; solo ve en él al protagonista y le admira cuando representa bien su papel. El reo quiere a toda costa excitar esa admiración y satisfacer su última vanidad.

Se ha renunciado al talión; a graduar la crueldad de los suplicios por la crueldad de los crímenes. Se ha renunciado a la tortura, a las mutilaciones; la muerte que la ley impone no es más que la privación de la vida, e incluso se ha estudiado para quitarla del modo menos doloroso. Esto para el cuerpo; al alma no se le ha procurado ningún alivio, dejándola indefensa luchar con las tentaciones y las amarguras que lleva al culpable la multitud apiñada en torno del cadalso.

No se puede decir más ni mejor; ni más hondo, ni más elocuente. Estos párrafos, piadosos de verdad, bastan para condenar desde luego la publicidad de las ejecuciones de muerte en interés del alma del reo... Pero también en interés del alma de la multitud, que se ha pretendido beneficiarla con tal espectáculo por aquello de la ejemplaridad, del escarmiento etc ... Y se consigue todo lo contrario.

La vista del reo y del patíbulo —dice la señora Arenal— impresiona precisamente en sentido inverso de lo que debería impresionar para ser útil. Aflige, aterra, trastorna a la persona buena que no necesita la terrible lección, y la ve con indiferencia el que la necesita. Cuando hay condenados a muerte y condenados a argolla (escribió esto en el año 1867), comparad después de la ejecución el aspecto de los que han sufrido esta última pena, y el del sacerdote que auxilió al moribundo; seguid al cura a su casa y veréis que no come ese día, que no duerme esa noche; observad en su prisión a los compañeros del reo condenados a presenciar su muerte (en esto consistía la pena de argolla), y veréis cómo fuman, blasfeman, comen y duermen. Después sostened que la vista de las ejecuciones tiene mucha eficacia represiva. Y añade más adelante con grandísima penetración: «La ejecución que se sabe, podrá escarmentar; la que se ve, endurece, por la misma razón que el juez inspira respeto y horror el verdugo».

Claro es que la multitud, ante la falsa apariencia de serenidad y hasta de fanfarronería que el reo se esfuerza en sostener, puede llegar a creer que este no sufre, y hasta imaginar un cierto atractivo y una especie de contentamiento en ser objeto de tantas miradas, motivo de tanta pompa, y primer personaje de tal escena. Mientras que la idea de ejecución de muerte no vista, y sí solo sabida, infunde un cierto terror y recogimiento.

Mala educación es, pues, para el pueblo la que se le da con semejantes espectáculos. Cosas muy buenas sobre educación dice a propósito de esto la señora Arenal: «La educación es una gimnasia; el hombre nace con inclinaciones malas y buenas; todo el secreto de la educación consiste en ejercitar estas y condenar aquellas a la inacción, para que se debiliten... Para educar al hombre, para corregirle, para castigarle, para todo, se le supone más propenso que realmente es a dejarse guiar por la razón. Hay que confiar mucho menos en ella que en el impulso espontáneo. Que huya del mal por el disgusto que le inspire, más que por el perjuicio que le cause. No hay deberes que se llenen con más exactitud que aquellos que no se discuten. Así pues, la educación, más que de razonamientos y de cálculos, se compone de ejercicios y de impresiones... Los niños que ven tropa, juegan a los soldados; a los altares, si ven funciones de Iglesia; y en Francia, durante el Terror, jugaban a la guillotina... Nos horrorizamos de las escenas del circo romano; mal conoce al hombre quien imagine que no tendrían espectadores en el mundo cristiano y civilizado». Citemos finalmente este profundo dilema que, como se dice vulgarmente, no tiene vuelta de hoja: «El reo de muerte se muestra abatido o valeroso: en el primer caso inspira lástima, en el segundo admiración; la ley parece dura ante el débil, y débil ante el que esforzado la arrostra, dejándola moralmente vencida. Contra el reo que, pálido y tembloroso, se sostiene apenas, la ley parece cruel; contra el que, firme o cínico, se presenta sereno o risueño, la ley parece impotente. El legislador quiere dar una gran lección en el patíbulo, y es una impresión la que da».

De esta altura es todo el tratado de la publicidad de la pena de muerte. Hemos dicho que su excelencia es debida, tal vez, a haberlo escrito la señora Arenal cuando estaba en la plenitud de su talento. Pero también hay que decir que el asunto, más que de un orden puramente lógico, como el Derecho de gracia, más que de la esfera científica y psicológica, como El delito colectivo, es de observación y de sentimiento, de intuición sentimental; y por eso una escritora, una mujer, cuando es tan escritora y tan mujer como Concepción Arenal, puede tratarlo y lo trata de la manera que hemos señalado.

Ruskin

I

En Inglaterra ha muerto un grande hombre: John Ruskin. Ruskin era un poeta, es decir, tenía una visión total de la vida por la belleza. Pero en vez de expresar esa visión en la música definitiva del verso y dejar que el encanto de la poesía penetrara lenta y fuertemente por capas en el espíritu humano, Ruskin se hizo el apóstol de su propia visión y quiso ser el organizador material de la realidad por él entrevista; "pero el resultado fue siempre que, como poeta, la ley del poeta le dominó, y su visión y su realidad han ido trascendiendo con aquella firme lentitud que es la fuerza de los grandes movimientos del espíritu, dejando indiferentemente atrás o delante todas las impaciencias, todas las burlas, todas las modas y todo lo que no sea su sustancia. De modo que Ruskin mismo, al luchar por realizar su misión y organizar su realidad antes de tiempo, pudo decir como el Zaratustra de Nietzsche: «Yo soy un precursor de mí mismo». Y esta es la ley que domina al poeta.

Ruskin tenía de la vida una misión demasiado delicada para poder realizarla por completo. Parece que de niño amó demasiado las flores, gustó de contemplarlas con exceso, y las flores, que son como la transición etérea de la tierra y de la planta al fruto, entraron en todas sus ideas, que fueron así como ideas-flores. Por esto Carlyle le llamó «el etéreo Ruskin»; por esto adornaba con imágenes delicadísimas de flores sus libros, aun los de sociología y de economía política, con los que quería hacer brotar inmediatamente la realidad de su visión poética; y por esto su concepción total de la vida tiene toda la hermosura fragante, delicada e incompleta de la flor.

Así enlazaba Ruskin el arte y la vida: el arte —decía— ha de expresar siempre una idea; esta idea ha de ser alta, pura, religiosa; y la obra artística ha de llegar a todos los hombres, hasta a los más bajos y humildes, para penetrarlos y elevarlos.

Así fue cómo Ruskin, joven aún y enfermo, llegó a Italia y se enamoró del arte prerrafaelista, del arte anterior a la plenitud del Renacimiento, del arte de aquellos artistas ingenuos y creyentes que pintaban sus cuadros de rodillas, estáticos de devoción ante la Virgen que iba apareciendo bajo sus pinceles.

Y él fue el predicador de este arte casi olvidado, para hacerlo escuela de toda la vida social.... en el siglo XIX y en Inglaterra!

¡Cómo debió atormentarle esta aparente antinomia de su idea! En 1863 (tenía 44 años) hace una excursión por los

Alpes y siente un deleite intenso, casi místico, en aquellas soledades; pero en seguida el apóstol que lleva dentro de sí pregunta si no hay demasiado egoísmo en aquel deleite solitario. Entonces es cuando escribe: «Me encuentro muy mal, atormentado entre el deseo de reposo y de vida plácida, y la conciencia que me llama a combatir el horrible crimen social y a socorrer las miserias humanas». Quiere reformar la sociedad, pero no con reuniones, huelgas ni revoluciones sangrientas, sino por la eficacia social de un arte ideal y puro.

Y va a Inglaterra, y empieza su apostolado. Predica su arte prerrafaelista y forma escuela; combate el maquinismo en la industria por enemigo de la belleza del trabajo y embrutecedor del obrero; combate sobre todo el egoísmo del patrono, del capitalista, causante de la miseria de los trabajadores y de la lucha de clases; quiere realizar una vida social nueva, fundada en el éxtasis estético, en el amor, desarrollándose en una atmósfera de paz y de belleza.

No se contenta con propagar sus ideales en escritos, en libros como las «Siete lámparas de la arquitectura» y «Fors clavigera», y en la cátedra con sede en la Universidad de Oxford; sino que, impaciente por la realización, funda la St. George's Guild, especie de colonia agrícola que quiere que sea el primer núcleo de la nueva sociedad soñada donde se trabaje en paz por amor a la belleza. En los campos de Westmoreland restaura los telares de lino a mano. En la isla de Man hace trabajar y blanquear la lana por procedimientos tomados a la Edad Media. En Sunnyside, en medio del campo, de un hermoso paisaje, monta una imprenta a mano donde trabajan de impresores sus discípulos y devotos: de allí salen esas exquisitas ediciones de las obras del maestro, y aquel es el punto de peregrinación de todos los fieles del arte nuevo, de la sociedad nueva brotada de la mente de Ruskin, y que hace sonreír, naturalmente, a la gente práctica, a la gente que vive en el mundo.

Claro está que declarar la guerra a las máquinas en plena fiebre de industrialismo moderno, combatir el egoísmo en la patria de la struggle for life, devolver el trabajo manual a los procedimientos de la Edad Media, y querer detener el tremendo torbellino de nuestro siglo fascinándolo con el puro ideal de un arte primitivo e ingenuo, resulta empresa, más que de poeta, de soñador.

Por esto la industria, el arte, la lucha social, el mundo, siguió su curso por encima de los generosos ensueños de Ruskin; por esto su St. George's Guild fracasó y se deshizo al poco tiempo de fundarse, dejando solo el precioso museo de Scheffield; por esto los productos elaborados por procedimientos arcádicos no se consideraron más que como cosas exquisitas, raras, de un lujo aparte; y por esto la nueva sociedad soñada por Ruskin quedó reducida a un selecto grupo de admiradores y discípulos.

Mas, ¿fue todo un vano ensueño de poeta? No. Los discípulos de Ruskin se han llamado Rossetti, Burne Jones, William Morris, Hunt, Puvis de Chavannes, y han formado escuela restaurando un cierto idealismo en el arte, un cierto refinamiento en las industrias artísticas, y hasta un vago y delicado sentimentalismo social cuya huella permanecerá imborrable y fecunda en la evolución del espíritu humano.

Todo esto es lo que se ha llamado modernismo y va desenvolviéndose entre burlas y veras, entre corduras y locuras, entre exageraciones y aciertos indelebles. ¿Adónde va? No lo sabemos. ¿De dónde viene? De visiones de ojos como los de un Ruskin, de un hombre que creyó transformar el mundo en un instante, que pareció haber movido sus brazos en el vacío, y que luego resultó haber imprimido un movimiento, menos rápido de lo que él se figuraba, pero más firme y hondo de lo que las gentes creían. Porque, por más que se ría la gente, lo cierto es que, a la corta o la larga, los poetas son los que mueven el mundo.

II

Hace pocos días hablamos aquí de Ruskin, recientemente fallecido en Inglaterra, y he aquí que ahora viene a nuestras manos una obra suya: una de las conferencias que el difunto poeta dio en Oxford en 1865, y que versa sobre la misión de la mujer.

Ahora que con el nombre de feminismo se oponen teorías tan horriblemente feas sobre lo que debe ser la mujer en la sociedad, pretendiendo equipararla al hombre en la lucha social, armándola para ella con armas varoniles, y contrariando hasta lo más elemental de su naturaleza, es muy saludable asimilarse las consideraciones de un hombre como Ruskin que, contemplando la vida a la luz de la belleza, ve más claro el fondo de ella y posee mejor su sentido que los secos escrutadores de leyes económicas o los tristes mari-machos sin amor. Unos y otros pretenden dignificar, realzar a la mujer... y empiezan por bajarla de su natural altura.

Para Ruskin la mujer es reina. Su reino es la vida toda, como el del hombre; pero ha de saber reinar en él de un modo distinto y conforme a su naturaleza. Y así hay que orientar su educación.

«Hay que asegurarle una educación física —dice Ruskin— que afirme su salud y perfeccione su belleza; y el mayor grado de ella se consigue solo por el esplendor de la actividad y de la fuerza delicada. Hay que perfeccionar su belleza para aumentar su poder, que nunca será demasiado grande, nunca difundirá demasiado lejos su brillo sagrado. Pero la hermosa libertad de su cuerpo será ineficaz sin la libertad del corazón. Toda violencia que se haga a una criatura naturalmente buena, toda oposición a sus instintos de amor y de actividad, quedará impresa en ella en caracteres indelebles cuya dureza será tanto más dolorosa en cuanto quitará brillo a la luz de su mirada inocente, y borrará el encanto de sus virtudes».

¡Qué delicada concepción del «eterno femenino»! ¡Y qué contraste tan doloroso con la de aquellos que quieren dar, como gran dignidad, a la mujer los derechos políticos y el de defender pleitos ante los tribunales!

Y no se diga que Ruskin es un oscurantista que idealiza a la mujer ignorante vegetando con la rueca junto al hogar; no: oigámosle más:

«Después de haber modelado —¡qué hermosa palabra— su naturaleza física, a medida que las fuerzas que vaya adquiriendo lo permitan, hay que nutrir y formar su espíritu con todos los conocimientos que tiendan a afirmar su instinto natural de la justicia y a refinar su sentido natural del amor».

Hay que darle todos los conocimientos que puedan ayudarla a comprender las obras del hombre y hasta a cooperar en ellas. Pero estos conocimientos no deben dársele meramente como tales conocimientos, porque el fin de ella no es propiamente conocer, sino sentir y juzgar. Poco importa que sepa una sola lengua o varias, pero importa mucho que pueda mostrar su bondad a un extranjero y comprender la dulzura de otro lenguaje. Poco importa a su valor o a su dignidad que le sea familiar tal o cual ciencia, pero es sumamente importante educarla en los hábitos de un justo juicio y que comprenda el sentido de las leyes naturales, lo precisas que son, y lo amables que son.

Es insignificante que llegue a aprender más o menos nombres de ciudades y su situación; más o menos fechas, más o menos personajes célebres; pero es profundamente necesario enseñarle a penetrar con su personalidad entera en la historia que lee, a vivificar los hechos con su propia vida, ayudándose de su brillante imaginación, a sentir con su delicado instinto lo patético de las circunstancias y lo dramático de las relaciones que muchas veces el historiador eclipsa con razonamientos o descompone con sistemáticos arreglos; pues su esfuerzo ha de aplicarse a seguir el rastro de la velada justicia, de las recompensas divinas, y a descubrir al través de la oscuridad el fatal hilo de fuego que liga a veces en un haz los errores y los éxitos.

Pero lo que sobre todo hay que enseñarle es a extender los límites de su simpatía a esa historia actual que se está realizando y decidiendo para siempre en este mismo momento en que ella apaciblemente res pira; a la calamidad contemporánea, que, si no es debidamente llorada por ojos de mujer, no revivirá en el recuerdo del porvenir... Hay que hacerle también comprender algo de lo que es este mundo en que ella vive y ama, comparado con aquel en que vive y ama Dios. Solemnemente hay que enseñarle a reaccionar de modo que su religión no se debilite al extenderse, y que su oración, ferviente al implorar por su marido o por su hijo, no languidezca al interceder por la multitud de aquellos que no tienen nadie para amarles, por aquellos que están solos y afligidos...»

¡Qué dulce y ardiente se siente en todos estos consejos el alma del poeta, y qué amable, qué grande aparece la mujer al través de ellos! No son, estas, frases pérfidas para halagar la vanidad y estimular el espíritu de odio y rebelión de cuanto en un sexo puede haber de fracasado; son palabras de fuego, como de apóstol, que forman el alma entera de la mujer, vigorosa y esperanzada en el amor, para todos los trances y situaciones de la vida.

«La instrucción de la niña —continúa Ruskin— debe ser la misma que la del niño, pero diferentemente orientada. En cada clase social, la mujer debe saber lo que por término medio sabrá su marido; pero debe saberlo de otro modo: es decir, lo suficiente para simpatizar con las satisfacciones intelectuales de él».

Ruskin, que es un poeta, tiene a veces puntos de sutilísimo psicólogo. Por ejemplo, habla de la lectura de novelas y dice: «En cuanto al prurito enfermizo de la lectura de novelas, le será menos peligroso lo malo que pueda encontrar en ellas, que el exceso de interés que le despierten. La mejor novela es temible para ella si, por la excitación que le causa, le hace parecer insípida la vida ordinaria, y le acrecienta un morboso patán por la lectura de escenas en las que nunca habrá de tomar parte».

Después de otros consejos acerca de la formación del gusto artístico femenino, hace la siguiente reflexión: «Educáis a vuestras hijas como si estuvieran destinadas a ser meros muebles de lujo, y después os quejáis de su frivolidad. Apelad a sus grandes sentimientos de virtud, enseñadles que el valor y la verdad deben ser los pilares de su vida, y veréis cómo responden a vuestra voz. Pero hoy, en la educación que se les da, se atribuye mucha menos importancia a su sinceridad y a su valor que a la manera de entrar en un salón: todo, en el modo de educarlas, es impostura y cobardía: cobardía, porque se les enseña a portarse a gusto solo del vecino; impostura, porque se hacen brillar ante sus ojos las vanidades de este mundo, cuando la felicidad de toda su vida depende de su firmeza y de no ser nunca deslumbradas».

Muchas otras cosas muy bellas dicen Ruskin en la conferencia que citamos y que lleva el hermoso título de «Los lirios del jardín de la reina»; pero no hay aquí lugar ni ocasión para ponderarlas todas. Si las pocas que hemos dicho pudieran contribuir a orientar entre nosotros la educación de la mujer en el sentido de su naturaleza y de su verdadera misión en la vida, creemos que el mismo Ruskin nos perdonaría el haber omitido las restantes.

Un poeta nacional

Las recientes representaciones del espectáculo Quo vadis en el teatro de Novedades nos dan oportunidad para hablar aquí de Henryk Sienkiewicz, autor de la novela que sirvió para hacer ese espectáculo.

Sienkiewicz es el más famoso de los modernos escritores polacos. Su novela Quo vadis es celebrada en todos los países donde la gente lee. Su asunto lo conocen aquí los que han asistido a la representación del espectáculo; pero solo en el libro, en la novela, se puede apreciar todo el valor de la obra de Sienkiewicz. Por más que esta se presenta como una novela histórico-realista, es decir, que hace revivir personajes como Nerón, como Petronio, como el apóstol San Pedro, en un ambiente de actualidad logrado a fuerza de conocimientos arqueológicos y sobre todo a fuerza de intuición artística, lo cierto es que su mayor atractivo, el alma vigorosa de su composición, es el espíritu religioso que la ha inspirado. Este ha hecho popular la obra y famoso el nombre de su autor.

Pero el que lea solamente Quo vadis no conocerá del todo a Sienkiewicz, ni siquiera conocerá lo más característico de su personalidad literaria. Esta es esencialmente nacional, es decir, polaca. La obra de Sienkiewicz más admirada en

Polonia, la que ha dado a su autor un nombre glorioso entre sus compatriotas, es la trilogía: Por el hierro y el fuego, El Diluvio y Wolodyowski. Esta obra extensísima tiene asunto también histórico, mejor dicho, patriótico, puesto que es historia de la desdichada patria polaca poetizada. Por esto su interés resulta más intenso y más localizado.

Y aunque Sienkiewicz, aspirando a extender la fuerza de su arte, ha escrito después otras obras de un fondo más generalmente humano y ha logrado, efectivamente, aceptación universal como en Quo vadis, su vocación irresistible de autor nacional le ha arrastrado a contemplar otra vez bellamente la historia de la patria, más querida cuanto más desventurada; y su último libro, Los caballeros de la Cruz, es un magnífico cuadro de las luchas de los polacos contra los caballeros de la Orden Teutónica en la segunda mitad del siglo XIV.

Nunca Sienkiewicz había producido una obra tan profundamente nacional, tan patética y tan viva como esta —dice M. de Wyzewa hablando de ella en la Revue des Deux Mondes de donde extractamos estas noticias; —nunca los rasgos distintivos de su temperamento literario se acusaron con tanta variedad y tanta fuerza.

Lo que caracteriza la obra de Sienkiewicz y hace de él un poeta único en su género hoy en Europa es que sus novelas son tratadas a modo de epopeyas: la magnitud del asunto y de su escenario, la majestuosa lentitud y variedad de la acción, que gira alrededor de uno o dos personajes de relieve heroico, hacen pensar a menudo en Homero. Las novelas de Sienkiewicz son grandes poemas patrióticos.

Pero el patriotismo de las novelas de Sienkiewicz no consiste en tesis ni en alegatos que el autor ponga en boca de sus personajes, sino en el estudio cariñoso y escrupuloso de estos y de la época y el medio en que vivieron. Los príncipes, los caballeros, los pajes, las damas de Sienkiewicz cobran vida del amor con que el autor los contempla; y lo que en ellos el autor ama es principalmente su carácter de raza, su vigorosa y profunda originalidad nacional. Ni una sola vez predica exhortando a sus compatriotas a la rebelión ni a la resignación: en lo que se esfuerza es en despertar su conciencia de raza haciendo revivir los héroes de ella y revelando las cualidades que hay en el fondo de la naturaleza polaca, las que un día hicieron y tal vez otro día pudieran hacer aún de Polonia una gran nación.

La condición fundamental de la libertad y la grandeza de Polonia, según Sienkiewicz muestra a los polacos, es su fidelidad al catolicismo. Esta es la idea que domina en el gran novelista; ¿y en este sentido —dice M. de Wyzewa—el mismo Quo vadis, a pesar de la exterioridad del asunto, puede considerarse como un libro patriótico para los polacos, puesto que tiende a exaltar aquella fe religiosa que fue su gran resorte nacional.

Cuéntase de viajeros en el desierto que, tras penosísima jornada, se han dormido profunda y largamente, y al despertar desorientados han visto el sol muy bajo, y no han acertado a adivinar de pronto si era el Levante, invitándoles a emprender la nueva marcha, o el Poniente, precursor de las tinieblas y de otro sueño y descanso prolongado.

Para los pueblos que despiertan a la propia conciencia nacional tras haberse profundamente dormido en el desierto de su historia, los grandes poetas patrióticos son también como soles muy bajos a cuyos resplandores se abren pesadamente los ojos cargados de sueño y se recobra conciencia del paraje y del camino.

¿Son soles levantes? ¿Son soles ponientes? Son soles. El pueblo a quien despiertan emprenderá animoso un nuevo camino o caerá otra vez en tenebroso sueño; pero la belleza del sol siempre es la misma. Alumbre la mañana o bien la tarde, el poeta dora con igual belleza un renacimiento o una irremediable decadencia. El pueblo que, a su poesía, siente renacer, fundirá al calor matutino de sus rayos el animoso himno de la marcha reanudada; el pueblo que vuelve a las tinieblas se llevará dentro de sus ojos, al cerrarlos en la noche, resplandores con que dorar eternamente el sueño de su historia.

¡Feliz Polonia que ha encontrado en Sienkiewicz su sol levante o su sol poniente!

Novalis

Novalis murió hace cien años, el 25 de Marzo de 1801, y, sin embargo, más parece contemporáneo nuestro que hijo del siglo XVIII. Aquel cuerpo frágil que vivió veintinueve años solamente contuvo un alma poética y exquisita que quedó como suspendida en el ambiente ideal del siglo XIX entonces naciente, y que suave y lenta ha ido penetrando las generaciones, hasta llegar hoy a un dominio y a una actualidad que hacen de aquel aniversario una festividad llena de vida.

Su obra es materialmente escasa e incluso poco conocida, y nada divulgada. Muchos espíritus modernos influidos, y tal vez, formados por Novalis ignoran su obra directa, y algunos habrá que ni siquiera sepan su nombre; porque la acción universal de aquella ha sido indirecta y lenta. «La gloria de Novalis —escribía hace poco un literato francés— vive como nunca. Todos los escritores alemanes de este siglo le han rendido homenaje, y su influencia se ha dejado sentir en todos los dominios del pensamiento alemán, pues ha creado una nueva forma de la antigua sensibilidad nacional, lo que podría llamarse un estado romántico fundamental y constante que no conoció la Alemania del siglo XVIII, y que, desde Novalis, ha sobrevivido a todas las variaciones de escuelas y de géneros. En el fondo del arte vagneriano, más que la in fluencia de Weber y la de

Schoppenhauer, hay la influencia de Novalis: asuntos, doctrina artística, procedimiento, todo el drama musical de Wagner parece ya presentido en los Fragmentos del poeta filósofo; y la moderna crítica alemana ha invocado su nombre para declarar, de dos o tres años a esta parte, la muerte del naturalismo y el advenimiento del nuevo espíritu».

Pero lo cierto es que la poderosa influencia de Novalis no se ha limitado a Alemania, como da a entender M. de Wyzewa, sino que ha impreso carácter a toda la actual evolución idealista europea. Novalis, con Emerson, con Carlyle, con Ruskin, son los padres de un neoidealismo y hasta de un neomisticismo, cuyos fundamentos y ortodoxia no hemos ahora de discutir, pero cuya existencia es evidente, no solo en Alemania, sino también en Inglaterra, en Francia, en Bélgica y hasta entre nosotros mismos.

¿Y cómo pudo Novalis alcanzar tanto con una vida y una obra tan breves? ¿Qué sistema filosófico pudo construir, qué concepto del mundo desarrollar, qué gran obra maestra imponer al sentimiento y a la admiración de sus contemporáneos o de las generaciones venidas después de él? Nada acabado, nada completo, nada rotundamente afirmativo dejó. Sus obras son fragmentos, son cartas, son capítulos sueltos, son unos cuantos versos religiosos y trémulos, por decirlo así. Pero trémulos de poesía como no haya quizás otros. Y este es el secreto de su gloria; el secreto de la gloria del poeta, que no se sujeta a medida material.

Novalis era sencillamente un poeta, pero un poeta integral, es decir, que todas las cosas y sus diversos órdenes aparentes los consideraba dentro de la sola realidad poética. Schlegel, Schleiermacher y Stelfens han llamado a Novalis «el divino», sin duda a causa de la misteriosa aureola que, hoy todavía, al cabo de un siglo, irradia de su obra. Carlyle decía que la espiritualidad de Novalis arrebataba el pensamiento hacia un mundo mejor.

Novalis vivió su estado de poesía. «La poesía —dice él mismo en uno de los Fragmentos— es la única realidad absoluta: he aquí en sustancia toda mi filosofía: cuanto más bella es una cosa, más verdadera es». Y realmente él convertía en poesía cuanto tocaba, transformándolo en algo ya absoluto e inalterable. Por esto su obra es tan nueva hoy, al cabo de un siglo, como el día en que fue creada. Y su obra es él mismo, es hasta su figura física, es su expresión de niño perenne y sublime, como Mozart, a quien tanto se parece espiritualmente.

He aquí la historia terrenal de este niño. Novalis fue su pseudónimo literario. Él se llamó Georg Philipp Friedrich von Hardenberg, nacido en el castillo de Wiederstadt el 2 de Mayo de 1772. Su primera juventud fue la de un estudiante cabeza ligera, hasta que se enamoró apasionadamente de Sofía Kuhn. Pero al poco tiempo de sus amores, la que era ya su prometida esposa enfermó gravemente; la enfermedad duró dos años y al cabo de ellos murió Sofía. Esta enfermedad y esta muerte transfiguraron el ardiente amor de Novalis, le hicieron poeta; le hicieron autor del «Himno a la noche», de los «Cantos a Jesús» y los «Cantos a María», quizá los cantos más armoniosos que existen en lengua alemana, ensueños del cielo.

Su poesía es esencialmente piadosa. Las aptitudes de Novalis para la filosofía eran excepcionales, pero ni sus estudios filosóficos, ni la práctica asidua de las ciencias naturales, ni la costumbre del análisis propio y la reflexión interior a que se entregaba apasionadamente hicieron vacilar por un momento su piedad de niño. Nunca se nota en su obra ni la sombra de una duda, ni el menor esfuerzo, que no necesita, para perseverar en la fe. Y mientras Fichte le proclama por el discípulo suyo de mayor penetración, y Schelling no cesaba de interrogarle pidiéndole ideas para su filosofía de la naturaleza, Novalis, como descanso de esas abstrusas especulaciones, componía sus himnos a Jesús y a la Virgen María.

Novalis era protestante, pero su alma de poeta tendía irresistiblemente hacia las luces del catolicismo, y se ha discutido si murió católico. Lo cierto es que muchos de sus escritos, y especialmente su estudio «El Cristianismo», fueron tachados de heterodoxos dentro del protestantismo, y su autor tenido por sospechoso de catolicismo. Hacia el fin de su vida empezó a escribir la que parece había de ser su obra capital: Heinrich von Ofterdingen, extraña novela que dejó solamente empezada y en la que quería dar su visión poética de la vida en conjunto, comprendiendo en ella las manifestaciones generalmente consideradas como más prosaicas.

Eso es lo maravilloso de Novalis: su integración de todo en la poesía. Su misma vida personal, sobre todo hacia el fin de ella, pone en evidencia esta facultad admirable. Ejercía de director en unas salinas, y sus trabajos sobre mineralogía y ciencias naturales eran celebrados por los naturalistas de su tiempo; los grandes filósofos alemanes de la época le tenían por un igual suyo; y él en tanto, en sus horas de retiro, conocía, como pocos hombres en la tierra, el encanto de la poesía y la oración. La oración fue su consuelo en la enfermedad que acabó con su vida mortal el 25 de marzo de 1801.

Cuantos amen las cosas del alma han de conmemorar este aniversario como el de un hermano, pues en Novalis se ve, como en muy pocos, un alma que está a flor de cuerpo. Tal vez a causa de ello, precisamente, vivió poco; pero la vida de aquella se acrecienta cada día en intensidad y en extensión. Por esto hemos dicho al empezar que aquel aniversario se convertía en una festividad para las nuevas generaciones.

Jacint Verdaguer

El renacimiento catalán, de poco tiempo iniciado, avanzaba lentamente al inocente impulso de los poetas solos. Los poetas lo hacían todo. Hacían historia, hacían arqueología, excursionismo, política a su manera, crítica, filosofía, todo. O cuando menos, cuantos trabajaban en el movimiento renaciente tomaban matices de poetas por su entusiasmo soñador, su inocencia que hacía sonreír a todo el mundo en torno de ellos, y su obsesión dominante de la lengua propia. Era este el instinto de toda vida ideal que quiere descender y trascender al mundo: siente que necesita expresión, busca su verbo, y, como el infante que llega a la vida, balbucea tenazmente.

Así aparecieron los Jocs Florals, primer símbolo del catalanismo. Allí se encontraron todos los visionarios de la historia, de la filología, de la política, del folklore: deslumbrados por su visión, a tientas se encontraron buscando el verbo catalán y se dieron las manos. Venían unos del país de los trovadores y cronistas hundido en los siglos, y balbuceaban un dulce hablar arcaico que nadie entendía; venían otros de modernos arrabales con un lenguaje grosero, pero muy vivo y pintoresco; otros llegaban de las aulas y academias esforzándose en dar al naciente lenguaje literario acento propio a culturas ya formadas, y hablaban un catalán acastellanado o con ecos italianos y franceses; otros, en fin, los menos por de pronto, los mejores siempre, traían en los labios algo de la música viva, pura, del catalán campestre, hablando como en los siglos y habiéndose movido con ellos sin mancha ni ruptura.

Y así los Jocs Florals fueron una torre de Babel al revés; porque esta fue un fin de entenderse las gentes y una dispersión, y aquellos fueron un principio de entenderse los que de muchas cosas y muy diferente hablaban, y una unión en busca del verbo catalán que la nueva Cataluña necesitaba. Y, en efecto, en los Jocs Florals apareció un día La Atlántida.

La Atlántida es, ante todo, el monumento del verbo catalán moderno: en él se encuentran todavía las señales del caos de que procede: hay en él arcaísmo, hay influencias meramente clásicas, su lenguaje no es todo oro puro, pero tiene unidad popular, tiene la lengua de la montaña catalana expansionada e inundadora de poesía en que todo lo demás queda resuelto y confundido.

El poeta catalán descendió de la montaña a la ciudad cantando su poema, y nuestra lengua volvió a existir viva y completa, popular y literaria en una pieza. Vino en el momento preciso en que había de venir porque, como todos los héroes, el momento lo creó él: y esta es su gloria. Esto, el haber sido un creador, le forzó la admiración de las gentes propias y extrañas en vida; esto ha arrastrado tantos espíritus a contemplar palpitantes las vicisitudes de su vida y de su última enfermedad, y ha arremolinado a las muchedumbres inconscientes en torno de su cadáver llevado con música y honores al través del duelo agitado de las vías públicas, como el de un héroe. Eso tuvo de héroe: el haber creado una realidad; eso tuvo de poeta: el haber roto a hablar por todos en su tierra.

Y tuvo también el largo aliento del cantor de épicas visiones. La Atlántida es una obra inanalizable, impersonal; es una concepción clásica de estudiante, y. al mismo tiempo —¡Oh maravilla!— es como si un pueblo, sintiéndose de pronto con voz y acento propio, empezara a cantar una fábula remota y fría, reminiscencia de algo enorme que yace muerto en el fondo del fondo de su origen, una conseja en que ejercita su voz infantil sin atender más que al gusto del canto nuevo: y canta el poeta, es decir, canta el pueblo, canta monótona y largamente, canta las cosas muer tas, simplemente para afirmar su voz viva, deleitándose inacabablemente en ello y en las vagas imágenes de poesía que el canto le sugiere...

El Canigó es algo ya más próximo, más humano: tras los monstruos y gigantes de la fábula, canta el poeta héroes de la leyenda nacional: hombres ya, aunque alternando todavía con hadas: las hadas mismas tienen un aire del país, la naturaleza aparece no en aspectos mitológicos de geológico cataclismo, sino como podemos verla ahora: los nombres de las gentes y los lugares no suenan extraños en nuestros oídos, el ambiente popular se hace más vivo y penetra más: y el pueblo encuentra su verbo más determinado, y de otra manera deleitoso.

Sin embargo, como sucede en todos los grandes épicos, que son los grandes poetas, el poeta queda impersonal; en el sentir de los héroes no se vé el sentir del hombre. Este empieza a mostrarse en los Idilis y Cants mistichs. ¡Qué sorpresa! ¡Qué contraste! Aquella voz poderosa que decía las grandes cosas de la tierra con una amplitud de aliento y una firmeza de entonación largamente sostenida, al lado de las cuales nuestros breves cantos parecen pequeños espasmos neuróticos, aquella voz era la de un místico, la de un franciscano cuasi delicuescente al ver el cielo en las cosas más pequeñas de la tierra. Pero aun en estas delicuescencias domina el temperamento épico sobre el lírico. La mayor parte de sus Idilis (y comprendemos en ellos todas las colecciones de la misma índole que Verdaguer fue dando en su vida: Jesús Infant, Montserrat, Santa Eularia, Somni de Sant Joan, etc., etc.) son pequeños poemas épicos, objetivos, narran o describen: y los Cants mistichs son cantos populares con la dulce familiaridad de expresión que tienen estos, y que es un elemento muy característico de la mística: la familiaridad del alma con Dios.

Por todos los caminos llegaba Verdaguer al pueblo, porque venía del alma del pueblo, de lo más puro: y así iba creando el nuevo verbo catalán en todos los modos de expresión, El barretinayre, la Oda a Barcelona ¡Cuán fecundos no han sido en patrióticos ecos! La impersonalidad del poeta no es tan absoluta en sus obras místicas como en los grandes poemas; pero tampoco muestra en ellas toda su alma, sino una expresión de ella. — ¡El hombre, el hombre! —pedían muchos a Mossén Cinto, como si los hábitos sacerdotales impidieran verlo.

Y al fin salió el hombre, su vida mortal que subió hasta el zenit serena e indiscutida, casi impalpable, ideal, declinó de pronto ensombrecida y tempestuosa. La tribulación descendió al espíritu del hombre y la necesidad a su cuerpo; sus pasiones dormidas se agitaron, su razón fue puesta en tela de juicio, sus ímpetus soliviantados, sus flaquezas descubiertas y explotadas, y de entre el oscuro torbellino, irguióse un instante el hombre vehemente, irascible, el campesino de ruda faz y mano callosa y dura, el montañés que se rebela. Pero Verdaguer era sacerdote cristiano y se rebeló abrazado a la cruz. ¡Singular actitud! ¡Tremendo contraste! Verdaguer era poeta, y el poeta cantó las tribulaciones del sacerdote entre las pasiones del hombre.

Esto empezó con el Roser de tot l'any, donde se siente ya la angustia del alma serena que no quiere perder su serenidad... y empieza a perderla. Esto se siente en el Sant Francesch, cuando Verdaguer, para hacerse superior a su tribulación, se esfuerza en identificar su alma con la del Seráfico. Esto estalla en las Flors del Calvari, donde los gritos de rebeldía del hombre, mal contenidos, ahogan casi las forzadas oraciones...

Después la tempestad se aleja, el hombre se repliega otra vez lenta y dolorosamente bajo los hábitos del sacerdote; la paz se hace, el canto místico resurge algo más melancólico, algo más débil, y la muerte se acerca, cuando Jacint Verdaguer se ha dado ya todo él.

Todo él está en nuestra nueva lengua catalana: fue su poeta: fue el poeta creador de ella: fue el Poeta, el Dante catalán. Ante su cadáver se ha inclinado la inmensa muchedumbre de los grandes y los pequeños, de los propios y los extraños, como forzados por el terrible viento que se precipita tras el vacío dejado por el paso de un creador.

Sobre novelas

Quisiéramos poder regenerar la novela moderna para que el gran número de lectores que hacen de ella su principal educación espiritual, artística y literaria, encontraran en su lectura toda la educadora pureza que resulta de la simple contemplación artística de la vida.

Y no sucede así. Los modernos autores de novelas, influidos por la fuerte preocupación filosófica y moral, característica de una época de desorientación en la moral y en la filosofía, no aciertan a ver la realidad en su artística pureza, e informan sus obras en apriorismos abstractos o en moralejas que quitan al espectáculo de la vida su frescura, y apasionan antiartísticamente al lector o le aburren lanzándolo al extremo opuesto, a la mera distracción, al frívolo interés de la novela novelesca, artificio de la imaginación que solo puede producir el vacío del espíritu. Así fluctúan autores y público de la novela ejemplar o de la novela estudio a la novela novelesca, deteniéndose a veces en el aparato erudito o fantástico de la llamada novela histórica, pero sin encontrar nunca el definitivo reposo en la novela propiamente dicha, en la contemplación artística de la vida que contiene en sí, por sí sola, la mejor filosofía y la mejor moral y la mejor sociología, y las más adecuadas a cada lector, pues cada lector saca de aquella lo que más le conviene, proporcionado a la condición de su individualidad.

Esto es tan de sentido común, que parece imposible que nadie que tenga algo de artista en el alma pueda hacer otra cosa que dar lo que ve tal como se le presenta y con tanta fuerza como tenga para comunicar a los demás aquella impresión suya.

Y, sin embargo, el novelista moderno acostumbra a proceder de manera diferente.

El novelista moderno parte casi siempre de un concepto. Dice, por ejemplo: —Que el instinto fisiológico es más fuerte que todos los propósitos de la voluntad, y para demostrarlo contaré a ustedes un sucedido...— que la mayor parte de las veces no es tal lo sucedido, sino un juego de abstracciones mal disfrazadas con meros nombres de personajes.

O bien acontece que el novelista ha presenciado una realidad de la vida que le ha interesado... por la abstracción moral que representaba. Ha visto, por ejemplo, un hombre de acción, voluntarioso, despótico, personal, luchar contra los sentimientos de sus hijos, contra la rebeldía de sus servidores oprimidos, contra el medio en que vivía, y caer al fin herido en lo más vivo de su corazón de padre y de señor. Con saber ver esto bien, y poder contarlo, hay lo suficiente para hacer una novela, pero para el novelista moderno no hay bastante. El novelista moderno necesita decir: «Ya ven ustedes a lo que conduce el oponerse a la espontaneidad de los sentimientos, a la fuerza de las corrientes sociales. Ese hombre cometió la locura de poner su voluntad en lucha contra lo que era más fuerte que él, y pereció en la demanda. ¡Justo castigo a su perversidad!»

Y el caso es que el impulso de escribir la novela arranca de esta moraleja final y toda la obra se resiente de ello, plagada de discursos y disquisiciones y retazos de artículo de periódico, que hoy por hoy es el género literario que los domina todos.

Y el secreto de este fenómeno, de que la novela no sea novela, está en que muchos de los que la escriben no son tales novelistas. Unos son espíritus dados a filosofías, otros son moralistas, otros son teorizadores de estética, críticos, otros oradores, otros políticos, otros periodistas, otros simplemente gente leída con prurito de que les lean, y todos ellos al fin hombres ganosos de hacer penetrar sus diversas lucubraciones, bajo figura de novela, allí donde no penetrarían mostrando francamente su naturaleza propia. ¡Oh! Quién pudiera convencerles de que lo mejor para ellos y para el público sería que cada uno hiciera francamente lo que debe hacer: el filósofo, filosofía (en forma de diálogos si quiere, pero presentándolos desde luego como diálogos filosóficos), el moralista, moral (en parábolas si le parece conveniente, pero advirtiendo que son simples parábolas), el crítico, crítica, por su cuenta sin forjarse fantasmas por cómplices, el político, discursos o libros de sociología o artículos de periódico... y solo el novelista, novelas, despreocupándose de finalidades extra-artísticas; pues el arte verdadero, el que arranca de la vida, lleva en sí mismo toda su finalidad, que es la síntesis bella de todas las otras fragmentarias juntas.

Dickens, Balzac y Daudet fueron novelistas y nada más, y su obra enseña más que todas las novelas estudios y todas las novelas ejemplares juntas, porque es la evocación artística del mundo.

Estas reflexiones nos han sido sugeridas por una «Biblioteca de novelistas del siglo XX» que va publicando en nuestra ciudad la casa editorial Henrich. De las cuatro novelas que hasta ahora ha dado a luz, ninguna hay que sea arte puro. La primera que apareció, «Amor y pedagogía», de Unamuno, y la última, «Guzmán, el Malo», de Timoteo Orbe, son, a nuestro juicio, las mejores; pero ni una ni otra cumplen con lo que el público tiene derecho a exigir cuando se le da una novela a leer, cuyas excelencias aquí mismo ponderamos, es uno como estudio sobre educación, que a los ojos de la mayoría de los lectores solo se salva, en cuanto novela, por el hondo sentido de la vida y grandísimo ingenio de su autor; la última revela un novelista, pero resulta demasiado ejemplar por las disquisiciones morales y sociológicas que a cada paso son puestas en boca de determinados personajes, puros entes de razón que aparecen como simples portavoces de las ideas del autor, y que rompen y destruyen el encanto artístico. Las dos intermedias, «La voluntad», de Martínez Ruiz, serie de lucubraciones sobre cosas muy diversas y muy abstractas, sin otra unidad que una sombra de acción entre sombras de personajes, y «La Dictadora», de Zozaya, estudio endeble psicológico terrorífico a lo Stendahl, no nos parece que puedan sostenerse por lado alguno, y las creemos inferiores al talento respectivo de cada autor.

Y cuando hemos visto todo esto en una Biblioteca cuyo título parece que quiere ser una orientación, se nos ha hecho más presente el mal de que adolece no solo la novela, no solo el teatro, sino toda la literatura y, casi diríamos, toda la poesía y todo el arte moderno: la impureza, la hibridez, una especie de impotencia artística que busca fuerza fuera del arte o declina la que tuviera en preocupaciones que no son para artistas y que solo pueden producir en el público confusión y humores malos.

Entonces nos hemos sentido impulsados a dar este grito de alerta; no con pretensión de censurar, ni mucho menos con ánimo de herir susceptibilidades, sino para estimular a los demás y a nosotros mismos a avanzar siempre en busca de la luz, de la pureza artística, que nos atrae por encima de todo, como una esperanza de redención de todo lo demás.

La sonata de Beethoven

Si queréis saber lo que es ser hombre acudid a una sonata de Beethoven, porque en ellas es patente el ritmo de vuestra vida, que es el ritmo mismo de toda la naturaleza y el ritmo del alma.

Si queréis comunicar un sentido universal a vuestros actos, si queréis resolver con serenidad digna de hombres vuestras tribulaciones, si queréis orientaros en el torbellino de los movimientos sociales, acudid a una sonata de Beethoven. Os será más que consejo de amigo, que ciencia de sabios, que espada de justicia y armadura reluciente, porque os sentiréis hermanos de las grandes fuerzas naturales y a más con libre albedrío de hombres.

La sonata de Beethoven es tempestad que pasa, es guerra que acaba en victoria, pasión triunfante de sí misma, el eterno dolor redimido: y todo esto en vuestra mano, que vale más que consuelo y sabiduría y espada.

Ved si no es todo lo que os digo; considerad cómo empieza siempre con un grave anuncio, y en seguida estalla el dolor, la tempestad o la guerra. La pasión que se retuerce, grita, impreca, lánzase, destruye, y parece que nunca ha de cansarse porque siempre vuelve a cobrar fuerza de su primer motivo, renovando el grito tenaz, la imprecación inacabable, el afán destructor que no se sacia, el anhelo de muerte; y de cuando en cuando el grave anuncio originario se interpone como un fantasma, como una fatalidad siempre presente que dice que el dolor, que la pasión, que la lucha son eternos; pero de pronto el alma, la tempestad, la espada, declinan rápidamente, su motivo parece que se agota, su voz se extingue; en vano aparece ya el fantasma imponiendo la fatalidad: el dolor, el grito, dicen:—No puedo más—. Hacen un último esfuerzo para levantarse, pero caen para siempre: suena el golpe seco, y el fantasma huye despavorido.

¿Qué son es ese tan dulce y profundo que parece brotar de nuestras mismas entrañas todas enternecidas? ¿Es el llanto lejano de la amada que llora de su propia crueldad? ¿Son las gotas que caen de los árboles bajo un cielo que empieza un azul nuevo? ¿Es el bálsamo en la llaga o la paz renaciente en las almas doloridas? ¿Es la hermosa esperanza? Son estas cosas juntas, porque es el espíritu único de todas ellas que canta. El canto se extiende consolador y suave, se alarga y nos envuelve en una prolongada caricia que quisiéramos interminable: es la profunda voluptuosidad de las convalecencias; es el reposo en la fuente sombreada que se encuentra en mitad del camino ardiente; es la que alguien nombró felizmente «flor entre dos abismos»: flor de fatalidad y de libertad a la vez.

Porque día vendrá en que la amada volverá arrepentida y amorosa; hora vendrá en que el sol brillará triunfante sobre las nubes desgarradas por un viento muy grande; tiempo vendrá en que el pueblo cantará a una voz su libertad nueva. ¿Y el alma sobre la cual pasó la fatalidad, quedaría para siempre en la convalecencia de aquel dolor? No; he aquí su canto triunfal, he aquí el abismo de su alegría por la que vuelve libre a la paz del Criador. Es el tercer tiempo del ritmo universal, es la sonata de Beethoven que concluye en himno de redención del dolor, de la fatalidad, de la guerra, de la pasión que han pasado por el hombre purificándolo y dejándolo cada vez más resplandeciente.

¿Quién de vosotros no ha sentido estas cosas en su alma, tan reales como este papel que tenéis en las manos—¿qué digo? —infinitamente más reales? Pues entonces, ¿por qué me llamáis soñador y poeta en el mal sentido de la palabra? ¿Creéis que trato simplemente de distraeros de vuestra acción dolorosa, de vuestra pasión fecunda? ¿Creéis que quiero debilitar vuestro ánimo con fantasías y juegos de palabras? No; si precisamente al deciros estas empieza mi corazón a latir con más fuerza y siento como un aumento de vida. ¿Y no lograría comunicároslo? Yo no os digo: abandonad vuestra acción; que os digo: no zozobréis en ella; yo no os digo: ahogad vuestra pasión, que os digo: ennoblecedla; yo no os digo que os rehuséis al dolor ni que os cubráis la frente para no ver la tempestad, sino que aprendáis el ritmo profundo del dolor y la alegría y acostumbréis ya en la obscuridad vuestros ojos al sol que ha de venir, no fuera que después el guiño afease vuestro semblante.

¿Y dónde queréis aprender todo esto? ¿En los libros de que después no os acordáis? ¿En el rencor del momento? ¿En la soledad de vuestro corazón salvaje? ¡Oh! no: sublimad vuestra razón de modo que todos los libros estén ya en ella; haced ligero el rencor de cada momento de modo que, de uno a otro escape, y vuestra pasión sea libre de abrazar a quien ayer hirió; poblad vuestro corazón con las grandes perspectivas de la vida, que nada os pueda venir de nuevo. Oíd, oíd en toda la sonata de Beethoven.

No digáis que una cosa es bien vuestra, mientras no sintáis la música de ella: antes de esto no podéis decir que es vuestra, sino que vosotros sois suyos. Cuando la pasión os quita el conocimiento, ¿quién manda a quién? Pero cuando la pasión ilumina el conocimiento, ¿quién manda más que vosotros? Pues esta es la sonata de Beethoven: la pasión iluminando el conocimiento, la fatalidad reducida a libertad aumentada, el ritmo necesario de la vida hecho melodía libre del hombre y armonioso canto. Es el hombre que vuelve a Dios.

¿Veis ahora cómo todo esto no son vanas fantasías? ¿Veis cómo lo que yo quería no era debilitar vuestro ánimo, ni distraeros de vuestra acción, ni ahogaros la pasión en el pecho? ¿No os sentís, por el contrario, la razón más clara, el corazón más libre, el brazo más fuerte? ¿No sentís la realidad viva de vuestra alma, dominando toda otra realidad? ¿Me llamaréis todavía soñador y poeta en el mal sentido de la palabra? No me importaría, porque en este momento sé de cierto que tengo razón y nunca podréis quitármela.

Brilla el sol ante nuestros ojos en el cielo limpio, azul de mediodía; sopla alegremente el viento que viene de la montaña; y todas las cosas están olvidadas de que el invierno haya de ser una estación triste, Asimismo, en cualquiera estación de vuestro ánimo en que mis palabras caigan sobre vuestro corazón, no han de contradecirlo, porque os llevan un anuncio de libertad en vuestro placer o en vuestro dolor, en vuestra paz o en vuestra furia; porque debajo de las más varias palpitaciones exteriores hay una eterna palpitación, alma de todas, y de esta he querido hablaros: es ella que palpita en el ritmo vario y uno de la sonata de Beethoven.

Si queréis saber lo que es ser hombre, acudid a una sonata de Beethoven.

Teodoro Llorente

Para elogiar a Teodoro Llorente solo tengo que recordar aquella sensación que en mi primera juventud sus Leyendas de oro me dieron, sensación de abrirse las ventanas de mi espíritu a la luz y a los aires de la poesía universal.

Goethe, Schiller, Byron, Heine, Hugo, Lamartine, toda la encendida pléyade romántica, él fue el primero en mostrármela, y ya nunca más pude apartar los ojos de ella; toda una generación española fue así por este hombre iniciada en la comunión poética del mundo, y la lengua castellana enriquecida con un oro exótico.

Porque la lengua era la misma: limpia y pura y sonante de su ley; pero yo no sé qué otra vibración se sentía en ella que, sin alterarla, la renovaba, que sin quitarle nada de lo suyo añadía un cristal a su sonar: era el recóndito cristal del verbo humano.

¡Parecía como si todo el mundo hubiera escrito en castellano, y esto daba una alegría a nuestra juventud! Nos hacía unos con todos los grandes de la tierra en la palabra, nos ennoblecía, nos aumentaba.

Así nuestra deuda, y la de Castilla, es inmensa con el poeta valenciano; y el nombre de traductor es glorioso sobre su nombre, como lo sea sobre el de muy pocos, y mucho más que el de poeta original sobre muchísimos.

También él es poeta original y no sin brillo; pero es tal la luz que su verbo recibió de extrañas lenguas, que no diré que aquel brillo propio palidezca, pero sí que se mezclan y confunden los resplandores. E incluso diré que no sé quién ha dado a quién, porque yo he visto luego, en las lenguas originales, muchos versos que no han penetrado en mi sentido con tanta fuerza como aquella con que me subyugaron en la traducción de Teodoro Llorente.

Este arte del traductor no es bastante estimado, porque quien no probó una vez su fuego, no sabe lo semejante que es al fuego creador. Solo el instinto del pueblo inocente sabe hacerle plena justicia. Porque, en efecto, para el pueblo no hay traductor ni inspiración prestada, sino que el primero que dice un canto, venga de donde venga, en la lengua propia, aquel es el autor del canto. Y no hay más verdad que esta. La sustancia creadora de poesía no está en lo que se dice, sino en cómo se dice; y quien inventa en una lengua, véngale de donde le venga la invención, es poeta de ella. Solo el traductor y el pueblo lo saben bien: quiero decir el traductor inspirado, que sabe inocularse el verbo extraño sufriendo otra vez su fiebre en el propio; quiero también decir el pueblo inerudito.

Para este pueblo, en el que, y para el que vivimos, Teodoro Llorente es el autor de las Leyendas de oro; para mí también lo es. Y quisiera comunicar este sentido a toda

España, para que esta glorificación que al poeta se prepara fuera tal como él la merece.

PARTE IV
EN ESENCIA, MARAGALL

Fuera de tiempo

No sé qué suerte de destino me lleva a visitar los lugares fuera de tiempo. No lo hago expresamente por una pretensión de singularizarme, ni por afán de impresiones vanas, no; no habréis visto hombre más amante de lo normal y corriente, y de hacer lo que hace todo el mundo, que yo. Pero lo cierto es que me he encontrado temblando de frío en Andalucía por Enero y en Marsella al comienzo del verano, en Florencia bajo un cielo túrbido y lluvioso (todavía me parece ver la cúpula del Duomo chorreando agua), en Pau, el famoso paraíso invernal de los ingleses, durante el pico abrasador del verano, y ahora, en esta villa del Pirineo francés, vestido de riguroso invierno, y paseándome melancólicamente en la soledad de los caminos montañosos que dentro de dos meses estarán llenos de movimiento y del bullicio de los elegantes veraneantes. Esto hace que por todas partes me persiga una especie de cantinela a modo de pequeña reprimenda de las gentes de cada país, celosos de la fama de su tierra durante el buen tiempo, y como retándome por haber escogido yo tan mal momento.

—¡Ah! ¡Si vieran esto en la primavera! —me decían en Andalucía. —Era en otoño que habíais de venir: todo parece de oro —me refunfuñaban en Italia. —Mais c'est la morte saison, maintenant —decían irónicamente los de Pau.

E incluso la vez que he estado en Madrid he sido retado: —Hombre, ¿a quién se le ocurre marcharse cuando van a abrirse las Cámaras? —Y ahora, aquí, al querer subir a por agua, el empleado del tranvía eléctrico, que no tenía ganas de hacer viajes en vano, me dijo todo airado: Mais il-nya personne la haut; pas même des oiseaux; rien! Me quedé horrorizado. Pero no era verdad.

No había gente y paseé a solas, ¡pero qué cantidad de pájaros! Y todos parecían ruiseñores. Era como un hechizo. Y aguas espumeantes bramando por todas partes, y las nieves, ¡qué espesa blancura en las cumbres! Y las praderas todavía sin segar, altas, de cuatro o cinco palmos y todas llenas de flores. ¡Y el bosque! ¡Qué ternura de verdes! Menos los abetos negros, todos negros... Pero en las puntas de los ramilletes las últimas hebras comienzan a renovar el verde, un verde claro, fresco, que hace en torno al árbol viejo y negro, como una aureola de infancia, como si una luz nueva, una claridad primaveral iluminara ya los perfiles del árbol sepultado todavía en la oscura noche de invierno.

Pero las hayas, no; las hayas ya están todas iluminadas de un verde tan dulce, tan dulce que enternece. ¿Y qué decir del canto de los pájaros? Yo no sabía que las aves cantaran de tantas maneras... Y muchas veces me paro encantado, y procuro imitar, no puedo evitar imitar, su canto, allí solo con ellas; y yo creo que ellas, en su locura de cantar, confunden mi reclamo, porque observo que me van siguiendo, siguiendo, si camino... Y llego a pensar que un día voy a entrar en el hotel seguido de la población del bosque... Aún más canta el agua, que canta por todas partes: es la gran derrotada de las nieves, que se puede decir que a todo el valle riega, y tanto la cascada ensordecedora como los millones de chorritos, todo junto hace su voz pequeña o grande. ¡Qué concierto cada noche, en la oscuridad y el silencio de todas las cosas! ¿Y el gran salto de agua? La mole de espuma coronada de un burbujeo irisado y frío, que abajo se hace orilla, transparentando el verdor pálido del agua que parpadea pura como unos ojos de hada.

Las nieves son las abuelas, estáticas en las cumbres; las aguas son las madres, corriendo apasionadas; y las verdores, las hijas que sonríen tranquilas llevando ya en el brazo el ramo polícromo de las flores hijitas.

Abajo, en medio de este estallido primaveral, la villita solitaria va despertando lentamente. Hoy se abre una ventana y mañana otra; los hoteles todavía abandonados se pintan y se barnizan; los cristales quedan relucientes: todo son golpes de martillo y roces de escoba; los guías, todavía sin el atuendo propio, remoloneando ociosos por la plaza: algún forastero prematuro llega perdido echando el aliento a las barracas de feria todavía cerradas; hoy se ha abierto una, y la feriante va colocando perezosamente su colorido tenderete... Ahora bajo mi ventana se siente una fresca risa que resuena en la calle silenciosa... Pasa un hombre silbando una canción de café concierto.

Y al son de los cascabeles de la primavera, cuando alegre cabalga la entrada del verano, yo me deberé ir abajo, hacia la llanura ardiente. Es una especie de destino. No lo he buscado ni me quejo. Me place ir sonriendo en todos los caminos del azar.

En la Sagrada Familia

Allí, en la Sagrada Familia, pasan cosas admirables. Al abrigo de aquellas piedras ya milagrosas, se fragua un mundo nuevo: el mundo de la paz. No sé cómo ocurre pero tal como se entra en la capilla de la cripta del templo, que todavía no es capilla pero es más que capilla del templo, que todavía no es templo y es tan grande, os invade una fuerte humildad, y paz y alegría con ella.

Encontráis a unos viejitos que toman el sol y a unas criaturas que juegan entre medio de los sillares que deben ser alzados para construir aquella maravilla, mientras en el aire suena invisible el trabajo del martillo y el cincel, humilde también, sin rabia ni fiebre, casi piadoso, entre los cantos de los pájaros que anidan en lo alto de las agujas. El sol lo toca todo: el cielo azul es el fondo del bordado de los ventanales de los muros que se alzan bellamente inacabados, y es grandioso... Es una catedral abierta que parece que quiera abarcar toda la ciudad; los que se acercan a los brazos abiertos de los muros, ya sienten el calor de su abrazo.

Parece que aquellos muros, en lugar de cerrarse, deban irse extendiendo, extendiendo, como en un abrir de brazos interminable, hacia el este, el oeste, hacia la ciudad, en los pueblos, en el mar, en las montañas, con un anhelo de amor sin fin. Y que, a medida que se abren, todo lo que abarquen, se va volviendo amoroso y bueno como aquellos viejecitos, que ahora se han resguardado ya, tomando el sol, y las criaturas que juegan, y los trabajadores que hacen sonar el martillo y el cincel dulcemente, allá arriba, entre vuelos de aves.

¿Por qué no vais allí, vosotros... todo el mundo? Id, id a menudo. Os encontraréis con un hombre de rubia barba que os hablará de cosas maravillosas: no de cosas nuevas, sino de la maravilla que no sabíais de las cosas sabidas. Porque nada nuevo hay bajo el sol, pero todo es siempre nuevo si bien se mira: todo es inagotable en los ojos contempladores y humildes. Y ese hombre ha contemplado mucho con humildad, y su palabra tiene la fragancia del ser de las cosas.

Él trabaja allí con sus discípulos (y quién sabe si el último peón que hace el mortero es el primero de sus discípulos), su trabajo es el gran muro que se alza lentamente hacia el sol, transparentando el cielo azul por el bordado de las ventanas y animándose con visiones que parecen irse materializando desde el macizo del muro, tomando figuras de plantas y de flores y de frutas y de bestias, figuras humanas que se desvelan del sueño espeso de la piedra y avanzan las facciones, contraídas ya por el esfuerzo de la palabra que quieren decir.

Y este muro, alzándose y extendiéndose lentamente en el espacio como unos grandes brazos que se abrieran interminablemente en los siglos, es la obra de aquellos hombres que trabajan allí humildemente, tanto el maestro como el último peón. El muro quizás no es más que el símbolo del ave, la obra del amor que viene, que viene del fondo de los sueños de los espíritus: que se acerca, que se acerca con los brazos abiertos y la boca anhelantes: que parece que ya esté aquí y nunca es lo suficiente...

En el fondo de los ojos azules del maestro de barba rubia yo he visto fulgurar resplandores del gran incendio, y su palabra humilde ya llevaba más de un ardiente soplo; y en las frentes pensativas de sus discípulos silenciosos se refleja como una gran luz lejana; el gesto pacífico del último peón designa que él más que todos se siente hermano con el maestro; y en los viejos que toman el sol entre los sillares, y en las criaturas que juegan confiadas, y en los hombres de buena voluntad que pasan meditativos, y en la mirada encantada hacia arriba de la gente que pasa por este lugar, yo siento, siento, que algo grande se está haciendo en nuestra ciudad, que la gente de la ciudad no se lo acaba de creer...

Id, id todos a buscar el presentimiento. Pero, no; si no os sentís llenos de pureza, no vayáis, pues no lo encontraríais. Si vais a ir con espíritu de vana curiosidad, con espíritu de moda, con espíritu de diletantismo, no vayais, yo os lo ruego, que no haríamos ningún bien y podríais hacer un gran daño. Que vaya solo aquel que, en el fondo del alma, se sienta hermano del último peón y dispuesto para ayudar a retirar el mortero.

En el ferrocarril

No sé cómo podéis giraos de espaldas a la ventana y leer, o dormir, o hablar de política, mientras detrás de vosotros va desfilando toda la riqueza del mundo. ¡Y de qué manera! Tiene un hechizo ir en ferrocarril que no es el mismo que el de ir por el mundo, a pie o en un carruaje que no corre tanto; es otra especie de gozo más espiritual, digámoslo así. Todo pasa más deprisa, más abocetado, y la visión es tanto más ideal cuanto más fugitiva. Es un regalo del mundo ir en tren: no sé cómo tenéis el corazón de girar la espalda a la ventana.

Los niños son los que entienden este placer de viajar; les mueve una especie de excitación natural de ver todo lo que pasa, que los tiene con todos los sentidos alerta, los vuelve charlatanes y alborotados como aves, por la vida que les da ese tipo de vuelo del ferrocarril. No se giran ellos de espaldas a la ventana, ni podrían; hay una especie de gravitación de sus ojos hacia afuera. Los niños, sobre todo, son adorables con la gracia con la que se dejan llevar en esta atracción. Si les cierran los cristales, acercan la cara como los pájaros entre los barrotes de la jaula, como queriendo atravesarlo todo. Si les abrís, no les basta con mirar, se asoman (¡no te asomes! Grita la madre, estremecida) medio cuerpo hacia fuera por la atracción de la riqueza del mundo que los rodea, que va viniendo, va viniendo siempre, y también parece que quiera ser toda ella captada por las ventanillas. El niño apasionado quisiera devorarlo todo con la vista, sacando medio cuerpo afuera; yo creo que si no lo sujetaran, se tiraría. Y es el niño quien tiene razón; estoy seguro, porque yo siento igual que él aquella ley natural de la atracción del mundo idealizado.

De esta montaña que gira majestuosamente ante mí, como queriéndome mostrar toda la belleza de su gran forma y todos los tesoros de luz y sombra y verdor de sus cimas y de sus faldas, ¿cómo podría separar la vista mientras así se me muestra al pasar? Se esconde de golpe, y un horizonte inmenso se extiende ante mí con altas montañas azules muy lejanas, coronadas de nubes y nieve, justo en el fondo de la llanura rubia y cultivada. ¡Ay! Aquella masía rodeada de almiares, recibiendo el sol en medio del llano y con un espesor de árboles en el borde, ¡que hace que se adivine una fuente escondida! Y de repente todo se hunde y me encuentro en las tinieblas de la larga mina, larga. ¡Qué terremoto!

Parece que las entrañas de la tierra me engullen en un espantoso cataclismo que no se acaba... y todo junto hace que la luz me deslumbre, y me veo rodando suspendido de un hilo de telaraña, y debajo un abismo y un río que se arremolina; y en seguida un bosque que tiene el tiempo justo de darme todo su misterio en un fragante soplo, que ya un pueblo se me viene todo alegremente alocado hacia mí con todas sus casetas que parece que se me quieran echar encima a hacerme fiestas. Hay mujeres en las ventanas... una tan bonita, rubia... ¡Oh! El amor... mas ya estoy lejos y unas vacas me miran desde un prado, de pies en el agua... solas en la verde soledad ... ¡Oh! Esto es la paz ... pero de improviso, una multitud, y me detengo en seco delante.

Veo cada rostro animado por el momento; uno que ríe y grita, otro mirando ansioso; otros aburridos en el trabajo; conversaciones que se encadenan: una me atrae; veo un hilo de vida que quién sabe de dónde viene ni adónde va: los hechos se precisan, comienzo a vivirlos... ¡Mas adiós a todo! Soy libre, me voy volando a otras conversaciones inesperadas, a otros hechos, a otros rostros que me esperan sin esperarme. ¡Oh, qué pueblos! ¡Oh, qué llanos y montañas! ¡Oh, qué abismos y horizontes vienen aún! Los adoro a todos, ninguno me ata, soy el genio de la tierra, el hombre que todo lo atrae para sí liberándolo en su espiritualidad. ¡Oh, cómo he vivido! No sé cómo tienen el valor de ponerse de espaldas a la ventanilla. ¡Como si no pasara nada detrás! ¡Es el mundo entero lo que pasa!

Por eso, cuando uno llega al lugar se encuentra tan cansado; es que ha vivido mucho en poco tiempo, y habría que ser ángel para no darse cuenta. Es entonces que, una vez en la cama, según entra el sueño, los bosques y las montañas y los llanos y los pueblos soleados comienzan a aparecer, girando lentamente en visión interna, luminosa dentro de las tinieblas, que se interrumpe con un sobresalto desconcertante, hasta que otra vez la visión tozuda, acariciante, comienza a dar vueltas, a enlazarnos, y dulcemente se nos os lleva, allá, allá en el sueño. Tal debe ser la visión de toda nuestra vida en la hora de la muerte.

La ciudad

Ahora que la ciudad nuestra quiere gobernarse por sí misma, será bueno detenerse a contemplarla.

La ciudad es la síntesis de la patria. Es la casa payral a la que acuden las más lejanas comarcas que sienten que su alma está en ella.

Id a la más apartada soledad de las montañas, y cuando habréis atravesado desiertos de horas, tal vez encontréis un hijo de la soledad, un pastor que apenas habla. ¿Qué sabe del mundo animado ese guardador de rebaños? Sabe que allá a lo lejos hay una gran ciudad, y que para ella son los rebaños que tiene en su guarda. Y cuando en la oscuridad del mugriento puñado de monedas que le sirven para comprar su pan oscuro en el poblado, ve brillar el metal más precioso de alguna, sabe que ese brillo viene de la ciudad lejana que él tal vez se figura toda del color de la moneda. ¿Quién sabe qué ciudad maravillosamente ve el pastor en sus oscuros sueños?

Y en todas las poblaciones hasta donde llega la vibración de la gran ciudad palpitante ¿cuál es el impulso de aquellos que sienten dentro de sí alguna fuerza activa, sino el hacerla valer allí donde todo es fuerzo se intensifica y produce su máximo resultado en el choque de tantos como batallan confusamente?

Y en otras poblaciones decaídas, y en la estéril anchura de los campos miserables, ¿hacia dónde miran todos los débiles y desvalidos, hacia dónde se orienta la última esperanza de toda desesperación, sino hacia el lejano resplandor de una ciudad que brilla en las tinieblas como una tierra de promisión donde toda mi seria puede convertirse en riqueza, o despertar sino la piedad de almas refinadamente sensibles, o encontrar al menos algún calor al mero contacto de las grandes multitudes?

Y así se forma la ciudad: de sueños de glorias y riquezas maravillosas, de fuerzas activas que luchan, de egoísmos que se resisten, de principios de vida y de muerte, de vicios y virtudes que acuden de todas partes.

Hay lugares en ella, hay momentos en que bendecís una puesta de sol con igual sentimiento que lo haríais en la soledad de la naturaleza. Entonces toda la ciudad parece un bosque virgen; su hacinamiento es como espesor de un bosque, y su gran rumor como rumor de viento o del mar lejano.

Otras veces la veis siniestra y oscura como un antro donde rechinan en penosas contorsiones millares de esfuerzos humanos que luchan entre sudores de sangre, destruyéndose unos a otros con horribles imprecaciones. Este mismo batallar se os convierte a lo mejor en un gran júbilo de actividades fecundas iluminadas por la esperanza de una humanidad futura, feliz, con resplandores de Arcadia.

Tiene barrios donde, en el fondo de una miseria pintoresca, late el odio destructor; y otros en que la frivolidad descansa muellemente en el lujo con insolencia desdeñosa. Y de repente veis un rayo de piedad estremecer a ambos por igual y hacerlos hermanos. Al lado de una iglesia, un lupanar; y encima de este el trabajo intenso por el pan cotidiano de una familia virtuosa; y en la buhardilla un poeta ocioso que, soñando en su amor, se siente rey del mundo. A veces la ciudad se congestiona, se amotina gritando horriblemente: choca el odio calenturiento con la fuerza fría y feroz, y el terror cunde y la sangre corre por el arroyo de sus vías agitadas; mientras en un plácido jardín de arrabal los niños danzan a la redonda cantando; y cuando las sombras oscurecen aquella plazoleta ya solitaria, en las vías que fueron campo de batalla la gente circula en paz como súbitamente desemborrachada de su reciente odio, y acude olvidada de todo a los palacios del placer brillantemente iluminados, en cuyo fondo tal vez trabajan oscuramente los gérmenes de terribles catástrofes.

Así la ciudad es un mundo, el compendio de un mundo, una síntesis viviente. No es una cosa distinta de la montaña solitaria, ni del llano risueño y cultivado, ni de la pequeña población activa, ni del yermo miserable; sino que recibe la vida de todo ello y le da alma y sentido.

Todos los que de cerca o de lejos la amen, son sus ciudadanos, porque le dan su espíritu. El pastor en su visión maravillosa, el ambicioso en su ambición, el miserable en su esperanza, el poeta en sus ensueños, el luchador en su actividad, son los ciudadanos que han de regir la ciudad, su ciudad, la encarnación del espíritu común.

Más allá de sus límites, que no son otros que los de este espíritu mismo, puede haber otras ciudades hermanas, unidas a ella por afinidades más o menos determinadas; puede haber un estado político que las rija y combine bien o mal para fines más o menos generales; pero su vida interna es sagrada e inviolable, porque es el espíritu vivo de un mundo que es mundo por sí anterior y superior al Estado y a todas sus combinaciones externas.

Por esto toda acción que viniendo de fuera de la ciudad y de su espíritu intenta dirigir su vida interna, es una profanación; y el instrumento de ella ha de ser repelido como elemento extraño y dañino. Todo lo que dentro de ella se pone al servicio de aquellas combinaciones exteriores sacrificando su espíritu, es una traición que ha de ser descubierta y castigada. Todo lo que en ella es odio, o egoísmo personal, o germen de destrucción infecunda, ha de ser extirpado y aventado.

Porque la ciudad es una unidad producida por el amor, y por el amor ha de ser regida. Y cada ciudadano de ella y de su espíritu, al ir a actuar de tal, puede apropiarse lo de «El Estado, soy yo» de Luis XIV, diciendo firmemente: «La ciudad soy yo». Y la fuerza de esta afirmación sincera de amor ha de aniquilar todos los egoísmos y bastardías y negaciones que se le pongan por delante.

La montaña

¡Oh! Feliz la ciudad que tiene una montaña al lado, pues podrá contemplarse a sí misma desde la altura. Verá diminutos sus caseríos en contraste con la inmensidad de los campos y del mar brillante, y sentirá cuán infinito es el cielo.

Y así comprenderá su misión la gran ciudad. ¿Por qué ese monstruoso hacinamiento de moradas, por qué esa turbia atmósfera de alientos, por qué la agitación y el ruido de la multitud... y más allá la paz de los campos, la augusta soledad de las montañas, la limpidez de la mar, bajo la eterna quietud del cielo?

La ciudad se asustará de sí misma y sentirá un fuerte impulso de extenderse clareándose toda ella sobre la inmensidad de las tierras vecinas y más lejanas y hasta las cúspides de los montes. Pero algo de ella misma, su razón de ser, resistirá a este impulso; se sentirá ceñida por la necesidad del tiempo y forzada a esperar, pero anhelante.

¡Vedla cuán hermosa está la ciudad con su espíritu anhelante en la cúspide de la montaña! ¡Cómo bebe la luz de las alturas y palpita en la atracción de los espacios, y se orienta en la extensión de las tierras, y escucha en la quietud de las soledades! Allí está el porvenir; pero entretanto...

El hombre de ciudad, el que lucha en la niebla, surge de la niebla con su pensamiento atormentado y su corazón en ritmo loco, y se alza a la claridad de la cumbre. De espaldas a la ciudad, ve ante sí el oleaje de las cordilleras hasta el remoto confín de las nieves perpetuas. Todas las montañas brillan quietas al sol, y un viento de pureza corre sobre ellas. El hombre de ciudad da un gran suspiro, y baja por la vertiente de la soledad entre los pinos.

Ante la sencilla rectitud de los pinos, la olorosa humildad de las matas y la armonía del viento en el bosque, ¿en qué torna la dolorosa complicación de la mente, el encono de la lucha ciudadana, las heridas del amor propio, la necia vanidad de un éxito y la actividad sobreexcitada? Todo se serena en una suave contemplación, todo forma su proporción y queda vivo, pero en paz. Entonces el hombre se pesa y se mide; y sabe lo que vale y lo que le falta valer: siente su pequeñez y su grandeza, y no se desprecia ni aprecia con exceso. Sonríe a sus debilidades y estima su fuerza sin orgullo; apacigua sus rencores, y se siente superior a sus heridas y a aquellos que las causaron, y les perdona. ¡Y en su mente aparece todo tan sencillo! No hay sino dejarse crecer recto como los pinos, libre y harmonioso como el viento; dejarse dorar por el sol como las montañas, y dar simplemente como las matas el propio aroma.

El hombre de la ciudad vuelve entonces a la ciudad llevando en su alma la medida de sí mismo y la de ella. Y sus amigos y enemigos ven la serenidad de las cumbres en su frente, y en sus ojos el mirar de las grandes distancias y el reflejo de los horizontes lejanos. Y la adulación y la envidia se encuentran impotentes.

¡Oh! feliz la ciudad que tiene una montaña al lado. Todos sus hombres irán subiendo a ella y volverán transfigurados. Y en la soledad de los estudios, en la mesa puesta de las familias, en la actividad de las industrias, en la lobreguez de los comercios, en la agitación de las vías y de las grandes salas, reinará recóndita la alta visión de la cumbre. La rectitud de los pinos, el olor de las matas, la libre armonía de los vientos vivirá en el alma de la ciudad, que sentirá su misión.

Realizar el tránsito a la altura y a la extensión de las tierras, he aquí la misión de la ciudad. Del fondo de sus laboratorios ha de brotar la redención de sus laboratorios; de la fiebre de sus industrias, la redención de las mismas; de la niebla de sus alientos, la redención de la multitud anhelante.
Todo ha de alzarse a la luz de las montañas y extenderse al aire puro de los campos y espaciarse por las tierras desde las nieves perpetuas hasta el mar azul. Tal será la ciudad grande, la serena, la pura, la gloriosa, que ahora la ciudad apiñada, la turbia, la calenturienta, presiente con su espíritu anhelante en la cumbre de la montaña.
¡Oh! Feliz la ciudad que tiene una montaña al lado; porque ella se siente como un tránsito a la luz...

Si yo fuese rey

Si yo fuese rey, cuando me enamorara me parecería que toda mi tierra y todo mi pueblo se enamoraban conmigo, y mi casamiento sería como un sacramento de amor cobijando todos mis rstados.

Porque, si yo fuese rey, no me sentiría un hombre como los demás, por mucho que me lo dijeran. No, no; me sentiría encarnación de mis pueblos, y en mi pecho vivirían muchas gentes, y me parecería tener el corazón muy grande y que la sangre de todos mis súbditos corría por él y era impulsada por sus latidos enormes.

Y en mi esposa extranjera (porque a la grandeza de un rey solo es proporcionado un amor de tierra a tierra), vería también todo el extraño país hecho mujer: en sus ojos vería aquella otra luz de cielo, en las líneas y el color de sus mejillas se me aparecería el lejano paisaje familiar a los juegos de su infancia, en su voz oiría la música alma de su raza, y en toda su persona la plenitud de vida de su tierra me sería amada. Yo haría que ella amase igualmente en mí la majestad de mis pueblos: y entre rey y reina sería un amor grande.

Y con mi vida así engrandecida lo sería la de todos mis estados. El amor abriría más ancha vía en mi pecho a todos sus latidos y todo anhelo cobraría virtud en el nuevo elemento; y, transfigurado en mi amor, ninguno podría parecerme extraño.

Así el día de mi boda sería de universal alegría, porque daría aliento a las más opuestas esperanzas, y me encontraría con fuerzas para no desengañar ninguna, porque el amor de un rey puede resolver toda oposición en armonía. Si yo fuese rey, el día del sacramento de mi amor haría alguna gran locura de aquellas que el pueblo inocente siempre espera del amor de los reyes, porque en ellas su instinto presiente una sabiduría maravillosa, que está más allá de toda ordinaria sabiduría.

Y cuando en mi carroza de oro, con la reciente esposa al lado, y mi cortejo de príncipes, pasara entre la apiñada muchedumbre de mi pueblo, esta esperanza sería la que vería brillar en los millares de ojos clavados en mí y en la reina, y hasta realizarla sentiría aquellas miradas perseguir mi visión interior como enjambre de luminosas abejas.

Porque si yo fuese rey no me creería con derecho a ser lo que yo fuera de por mí, sino que de las raíces de mi vida sentiría alzarse constantemente aquel que mis pueblos quisieran que yo fuese, el prometido a su esperanza: el rey ideal, y el rey de cada día demandado. De modo que mi alma se derramaría y quedaría en la multitud difusa, no dejando de mí más que una figura de rey, en la que el pueblo se adoraría a sí mismo. Y por esto, en el día de mi boda, a todo el pueblo le parecería casarse, y en todos los rostros habría una alegría nupcial.

Cuando el pueblo ve pasar con amor el cortejo de boda de su rey, que cree ver pasar su propia boda en una región sublime donde toda su multitud se hace figura de rey para caber en una carroza de oro con la desposada; y en esa misma región es donde quiere ver su confusa voluntad transfigurada en alguna sublime locura. Si yo fuese rey me asustaría de serlo; pero el día de mi boda no, porque sería el día de la plenitud del amor, que nada teme.

Pensaría en la boda del último de mis súbditos: de aquel que no sabe si mañana comerá, de aquel a quien tras el amor esperan los trabajos, tras la alegría de los hijos que vienen, tras toda enfermedad la miseria, y toda una vida incierta y solo ciertos los muchos trabajos. Y, sin embargo, lleva sonriendo la esposa al altar y no se asusta: una santa inconsciencia le priva de toda vana reflexión; porque ante el amor todo cálculo es pequeño y vano.

Pues yo habría de ser valiente como el último de mis súbditos, pero con valentía proporcionada a mi realeza; y mi valentía debería consistir en no asustarme de ser rey, fiado tan solo en el amor.

Y ella, mi esposa reina, al sentir que entraba aquel día por el amor del rey en la historia del pueblo desconocido, cuyos millares de ojos se posarían en ella con la fijeza de la ilusión, ¡de qué profunda y dulce congoja sería acometida! Entrar en la historia ¡qué solemne momento para una vida!, y para una vida de mujer, ¡qué contraste de debilidad y fortaleza! —Yo soy el amor del rey—podría decir al pueblo un poco pálida, pero con voz segura: y así entrar en la historia. Y el pueblo caer cuasi en adoración ante ella, con esta idea en la frente: —Ella es lo mejor del rey, que es lo mejor de nosotros mismos. —Porque ya he dicho que si yo fuese rey no querría ser sino una sublime figuración de mi pueblo.

La mujer hecha objeto de amor cobra una gran fortaleza; pero la princesa que siente pesar sobre su corazón la ilusión de todo un pueblo, si la sostiene, ya no puede desfallecer nunca más; y en todo trance, y en más alta voz en los más graves, dirá: —Venid a la reina, que es la puerta del corazón del rey.

La lección de los almendros

Este mes lo bonito son los almendros, que florecen. Hay un punto de inocencia en el florecimiento de estos árboles. Son valientes, ¡cómo hay mundo! Parece que no sepan lo que se hacen. ¡No más que tienen prisa por florecer y, ya! A florecer. No se atienden a lo que es y lo que debe ser. No piensan en lo lejos que está todavía la primavera, ni en el frío que todavía esperan. No tienen cuidado en echar hojas primero, probando los aires. Sino que se ve que a medio primer sueño se despiertan con la gran ansiedad de florecer, y sin escuchar orden ni consejo, se lanzan alegremente a lo que el corazón les pide. Se levantan a media noche con gran algazara, como niños para ir a un encuentro.

¡Oh! Qué expresivo el buen tiempo, cuando todas las hojas comienzan a sacarle la cabeza y prueban el aire para asegurar el florecimiento! Primero la hoja, después la flor, después el fruto.—No importa, no importa;—parece que responden,— ¿No tenemos ahora el deseo de florecer? ¡Pues florecemos! Cuando tengamos que echar las hojas, lo haremos, y también los frutos. ¿Por qué forzosamente primero esto, y después aquello y después lo otro? Primero, lo que primero proceda, y después, según sea oportuno.—¡Ah! cada cosa a su tiempo!—¡Siempre es tiempo de todo, cuando hay ansia!

Y una mañana de Enero salís enfriados a la ventana, vemos si nieva, ¡y os encontráis con el florecimiento extendido de los almendros que ríen! Y esa carcajada os toma, y ríe con ellos. Usted se ríe del frío, y de todo el invierno, y de la nieve que vendrá, y de la muerte que espera. Pero no con la risa amarga del cansancio de vivir, ni con la risa satánica de la soberbia, ni con la risa estúpida del ebrio, sino con la risa luminosa de inocente, para quien la palabra muerte no tiene ningún sentido.

Dicen que los campesinos, cuando sacan cuenta de los cultivos, descuentan ya de los almendros la mitad de añadas perdidas: descuentan la inocencia del árbol. ¡Oh! ¡El hermoso descuento! Y dice que, aun así, el rendimiento es bueno. Ya lo ves si es rica la inocencia, y que mezquinos delante de ella las cuentas seguras. El almendro es espléndido: arroja las flores al frío, sin contar lo que acontezca; y con una añada de tropiezo paga dios las perdidas. Porque la flor del anhelo es muy fecunda.

Yo del almendro diría que es el árbol de la libertad, y plantaría uno en cada casa como enseñanza. Nuestros hijos nacerían libres, y nuestras hijas liberadoras de esclavos: de los esclavos del orden, de los esclavos de la prudencia, de los esclavos de la muerte.

Figuraos que no la ha sabido nunca tofavía la locura de los almendros, y que un día os emprendió de una chica forastera, risueña por naturaleza, traviesa y desembrazada, de muy buen color en la cara —que me parece que la veo— y ojos brillantes. La pidió por esposa, y ella le hace que sí con la cabeza, y se la dan: ya es vuestra. Y una mañana os hace una gorda locura, que no supo cómo pensársela, porque contraría toda ley y costumbre vuestra. Entonces con toda la gravedad de las tres mil convenciones que traía dentro, con toda la gravedad del hombre de entendimiento, dios con amorosa seriedad a la joven esposa:—Pero, qué haces de acicalarte en esta hora que todavía todo el mundo duerme? ¿Quieres ir por las calles cuando todavía oscurece y hace frio; ni en ninguna fiesta, ni visita, que todas las puertas están cerradas? Y si no te quieres mover de aquí, qué sacas de hacerte más bella en esta hora de dormir, que solo yo tengo, si acaso, de verte, ¡basta que me complaces de todo modo? ¿Qué locura es ésta?...—Y ella le responde:—En mi casa hay un árbol que florece a mediados de Enero.—

¡Oh! ¡Cómo quedarán de aturdidos y maravillados quienes no conocen la libertad de los almendros! Pensáis que se había casado con un hada; y, según cómo, os santiguaréis ante ella tres veces, y, según cómo, la tomaréis en brazos como una vida nueva. Y todo ello será lo que le ha hecho la lección de los almendros.

Este mes, lo bonito son los almendros que...

Octubre

Yo no sé qué tiene este mes que me gusta tanto. ¡Encuentro una serenidad! Parece que es el momento en que se termina una cosa y debe empezar otra; ese bello momento de suspensión, ese frotarse las manos mirando lo hecho con satisfacción y lo venidero con ilusión. Parece que todo vuelve a empezar en este mes. Los frutos ya se han dado todos —y el último, el más bello, que es la granada, comida de pedrería—, el vino ya duerme y sueña en la bodega, ha pasado el ir y venir de los temporales, los campos están limpios, el cielo es puro, el sol comienza a hacerse amigo y a brillar de otro modo más dorado...

¿No habéis visto un vuelo de palomas parpadear por encima de la ciudad algún mediodía de Octubre? En cada giro que dan bajo el sol, ¡qué luminaria! Yo no veo volar las palomas sino en Octubre. Debe ser el mes de las palomas y el mes de los ángeles. La Iglesia les da dos primeros días de este mes, y ya el día de antes pone San Miguel con la espada brillante.

Es dulce la fe en los ángeles. Lo que nos dicen de pequeños de que cada uno lleva consigo a su ángel de la guarda, es dulce de creer y tiene sentido. Verdaderamente hay algo entorno nuestro que no se ve y se siente, que no tiene palabra sonora y nos habla, que no nos toca y nos guía, que llora y ríe sin sollozos ni risas, que nos da un buen pensamiento, que nos salva de un peligro, que nos vela cuando dormimos, y que a veces sentimos como si se tapara el rostro y se quisiera alejar de nosotros... pero no: siempre vuelve sonriendo. ¿Es lo que los antiguos llamaban el genio familiar, y nosotros diremos la conciencia, el azar, el buen instinto? No. ¿Por qué? ¿Por qué no podemos decir el ángel de la guarda? ¿Qué nos cuesta? Hay muchas cosas invisibles a nuestro alrededor o dentro de nosotros que se ríen de los nombres que les damos, si no son bellos; y para esta cosa buena que nos acompaña, todavía no se ha inventado ningún nombre tan bonito como este: Ángel.

Pues bien, yo creo que Octubre es el mes de los ángeles. En la mayor paz del cielo y de la tierra, en ese mes, parece que ellos pueden hacerse más sensibles, casi parece que con un poco más los veríamos. En la hora santa del mediodía casi se les ve volar entre el cielo azul y la tierra dorada; en la puesta de sol yo diría que les veo aletear por la montaña morada detrás de la que el sol se pone; y por la noche, en las buenas noches de Octubre, serenas, quietas, por todas partes se siente un aletear, como en la oscuridad de los nidos. Es hermoso imaginar a los ángeles como cuerpos de niños con alas; en esta material representación seguro que existe una cierta adivinación de su naturaleza, de lo cerca que están de nuestra humanidad pero librados de nuestro peso corporal y con la gran inocencia del niño, que es tan sabia de Dios.

En el campo, los domingos por la tarde, todos los árboles están llenos; frecuentan las fuentes solitarias, vuelan sobre las sardanas de los niños y en sus voces que cantan, y se columpian suavemente en las campanas de la oración.

Todo el mundo está lleno de ángeles, y en Octubre más.

Yo, en el año, veo cuatro portaladas: el portal de Belén que entra pisando nieve, llena debajo de germinaciones y promesas; el portal de la Pascua cuando todo el mundo verde y en flor se levanta en la gloria; el portal de Sant Joan cuando el verano, madurador de todo fruto, rojo flamea; y este portal de los ángeles en que florece dulcemente la paz del descanso después del gran trabajo de la tierra, y detrás de la puerta está el sueño de Navidad.

¡El sueño de la Navidad! Navidad que ya es cosa tan hermosa, ¡ve que debe ser el sueño de Navidad! Dormir el reposo del verano y soñar con Navidad entre ángeles que velan. Hágase aquí la dulzura de Octubre. No es la dulzura de los comienzos: es una dulzura más sutil: la de la espera del comienzo.

Parece que el buen Dios, antes de empezar a hacer la tierra, hiciera los ángeles, transmitiéndolos como mensajeros de su deseo de creación. Y por eso en el mes de Octubre hay tantos ángeles...

Marta

Debía de ser por este tiempo y por eso ahora me debe de venir a la memoria al cabo de tantos años. Fue mi primera borrachera de las montañas. Era muy jovencito y nunca me había alejado mucho de mi callejón de la ciudad: y esa salida hacia las alturas del Pirineo fue un deslumbramiento.

¡Aquella gran sierra como pensativa hasta el cielo, encima del pueblecito tonto! Yo no me cansaba de mirar humear las nieblas grandes que se arrastraban. ¡Cómo roncaban las tormentas allá arriba! Cada día llovía, granizaba, y entonces venían grandes vuelos de pájaros grandes que pasaban tan altos sobre el pueblo, que su vuelo parecía lento como el de una nube. ¡Cómo me hacía soñar ese paso solemne por la altura! Luego, lucidores, atravesaban los velos de la lluvia, y la tempestad se deshacía. Más tarde la cresta se levantaba negra y quieta hasta el cielo azul y estrellado de la noche silenciosa, y en el pueblo se sentía la gran frescura de la sierra toda mojada.

Y al amanecer íbamos alegramente: mas, diciendo alegramente, no puedo expresar toda mi alegría, ni el tipo de alegría. No sé, me parecía subir al cielo. Costas arriba todo era fresco y mojado, y reía el verde por todas partes, y el sol nacía. Cantábamos; porque el hablar era poco.

Encontramos grandes rebaños de vacas en la soledad de las costas verdes colgadas de la cima abajo inmensamente, que hacían perder el aliento de las distancias. Después emprendimos una torrentera de muy mal subir, empinada y pedregosa cuando el sol ya picaba de lo lindo.

Sufrimos en ese trozo, que fue muy largo; pero al final salimos a un delicioso rellano tan vecino de la cima que parecía que podíamos tocarlo con las manos. Había unas cuantas casas de payés, grandes: la paja dorada, las gallinas corrían por todas partes, y lo que nos deleitó más fue el fuerte ruido de un salto de agua de espuma blanquísima y formando en el rellano una amplia balsa donde las mujeres lavaban a la sombra de unos robles muy grandes. Nos sentamos beatamente en la sombra, y supe que nunca había sido tan feliz.

¿Y dónde nos darán comida?

De una de las masías, la más grande, salió un hombre en cuerpo de camisa, alto, flaco, cara-pequeño, la boca grande, los dientes claros, muy obsequioso. Era conocido del campesino que nos acompañaba, y nos invitó a comer en su casa. Justo esta mañana he cazado una liebre —decía— que hará muy buen plato. Nosotros, ya lo creo, que de muy buena gana, y mientras él se fue a preparar la comida, fuimos desde allí a una fuente cercana, y yo en mi vida he bebido agua como aquella: ¡helada! Y clara, como aire.

Es muy obsequioso ese hombre; —dijimos al campesino.— Basta, basta,—dice él— pero no corren buenos rumores. Dicen que tiene un presidio,— añadió con cierto terror.

Todos callamos un poco escalofriados. —Sí, ¿qué sé yo? —dijo ronceando, —entró a poseer esa gran heredad que era de un cuñado que murió de desgracia: le encontraron muerto herido de un disparo. Primero, dijeron si cazando se le había disparado el arma; pero después formaron causa a este. Y, vamos, no sé cómo salió adelante. Lo cierto es que la heredad fue a su mujer, hermana del muerto, y la mujer se le murió al poco tiempo de una enfermedad extraña; y ahora todo es de él, es decir, de una chica, hija única, que todavía es chica... Y vaya... debe tener diez o doce años...—Y al ver que todos escuchábamos cabizbajos y un poco asombrados, añadió levantando la voz alegremente, como para animarnos: —¡Oh! Pero también es un hombre muy espléndido; ya nos dará buena prueba de ello , ¡ya!

Nos fuimos chino chano, y el hombre nos acogió con gran alegría, haciéndonos entrar enseguida en la casa, y llevándonos al piso de arriba, a una gran pieza negruzca, baja de techo, y muy fresca, con una ventana abierta de par en par que daba a la parte baja de la montaña llena del soleado mediodía. El viento movía las hojas de los chopos, y esto y una gran algarabía de gallos y el rumor del agua era todo lo que se sentía en la bella calma del de fuera.

Nos sentamos en la larga mesa, solo ocupábamos un extremo, puesta con mantel de lino, limpio y el almuerzo fue bueno. ¡De lo que me acuerdo más es de la liebre, negra en el caldo negro, era más gustosa!

Aquel hombre alto y magro, de cabeza pequeña, a proporción, y grandes brazos y piernas, se deshacía al obsequiarnos; hablaba alegremente, y se reía mostrando anchamente la boca y mostrando los dientes aclarados, de fuerte mordedura. Nosotros correspondíamos, pero no podíamos romper una involuntaria reserva, una especie de frialdad que no podíamos hacer más. Él, por momentos, parecía darse cuenta, y en sus ojos pequeños, pero limpios y penetrantes, se traslucía de vez en cuando un rápido estremecimiento, una especie de duda, de interrogación, mirándonos. Pero eso pasaba enseguida.

Mientras tomamos el café —porque ni el café faltó (fuerte, espeso)—compareció en el comedor una niña de unos diez o doce años, rubia como el trigo, agraciada, con esta gracia indómita de las criaturas de montaña, aunqueen ella vencía la dulzura. ¡Era tan guapa! Tenía ojos azules y un ligero velo de tristeza en el rostro tan puro. —¡Marta! exclamó su padre con efusión al verla. —¡Marta ven!— Y la tomó con sus grandes brazos. Se veía que la amaba mucho. Le dio dulces de la mesa. ¡Oh! La heredera...

Cuando quisimos pagar lo debido de la comida, ¡de ninguna manera! ¡Oh! ¡Y cómo se puso! Risueño, agasajador, por eso, pero: —¡Cà! Esto no es un hostal. Es su casa para todo lo que les convenga.—Entonces dijimos que bien podía aceptar la niña un presente: ella miró temerosamente a su padre y... aunque me mataran no podría decir si él consintió o no; y si el presente le fue dado. Y marchamos.

¡Me he acordado tanto de esa criatura! De esto han pasado quizás veinticinco años. Al principio pensaba mucho en ella, y pasando el tiempo la veía de lejos crecer y hacerse mujer. Sobre todo, pensaba en las noches de invierno, en medio del bullicio de las fiestas nocturnas ciudadanas.—¿Qué hará ella en aquel rincón de la montaña?—pensaba yo. Y la veía durmiendo, hermosa, con ese velo de tristeza, aquella sombra de crimen sobre la pureza de su vida. ¡Marta!

Pasaron años, y al cabo de diez o doce, un verano volví a pasar por allá arriba. Y entonces hacía tiempo que la agitación de la juventud me había borrado aquel recuerdo. Pasamos de camino con una comitiva para doblar la cresta. Llegamos al rellano: las masías, el salto del agua, las mujeres lavando a la sombra de los grandes robles: todo era lo mismo.

Preguntamos, no sabiendo bien encontrar el camino: una de esas mujeres nos lo explicó, y mientras lo hacía, de la masía más grande salió una joven de unos veintitantos años, rubia, esbelta y fuerte; parecía casada ya; se acercó y terminó de señalarnos el camino. Claro que debía de ser ella. Yo tenía los ojos fijos en sus facciones puras sin poder moverlos; el corazón me latía; pero no osó preguntar nada, ni decir una sola palabra. Nadie del país iba en la comitiva, y era inútil hablar de esa historia. Seguiremos nuestro camino.

Índice

Prólogo 9

Reflexiones

1. Entendámonos 15
2. De la pureza en la poesía 23
3. Poesía de otro tiempo 29
4. Poesía viva 35
5. Escritor 41
6. Fermentum 49
7. La beligerancia 53
8. La poetización de la fuerza 59
9. El alma castellana 65
10. Armas y letras 71
11. Arte y patria 77
12. Las lenguas francas 83
13. El libro ideal 89

La cuestión social

1.	Viva España	95
2.	El alzamiento	101
3.	Conversación bilingüe	105
4.	Rabassa morta	111
5.	Para los amos y para los trabajadores	119
6.	El trágico conflicto	125
7.	El momento político	131
8.	El Zar	137
9.	La Doctrina Monroe	143
10.	Paraguay	149
11.	Mensaje al Rey	163

Ensayos de crítica

1.	Ensayo de crítica	175
2.	Friedrich Nietzsche	181
3.	A propósito de un drama	187
4.	Obras de Concepción Arenal	193
5.	Ruskin	201
6.	Un poeta nacional	211
7.	Novalis	215
8.	Jacint Verdaguer	221
9.	Sobre novelas	247
10.	La sonata de Beethoven	227
11.	Teodoro Llorente	239

En esencia, Maragall

1. Fuera de tiempo 247
2. En la Sagrada Familia 251
3. En el ferrocarril 255
4. La ciudad 259
5. La montaña 263
6. Si yo fuese rey 267
7. La lección de los almendros 271
8. Octubre 275
9. Marta 279